CAMILA SARAIVA VIEIRA
PREFÁCIO DE PAULO VIEIRA

Viva
A SUA **REAL IDENTIDADE**

Como viver o seu propósito
e realizar os seus sonhos
apesar do seu passado

Diretora
Rosely Boschini

Gerente Editorial
Rosângela de Araujo Pinheiro Barbosa

Editora
Franciane Batagin Ribeiro

Assistente Editorial
Rafaella Carrilho

Produção Gráfica
Fábio Esteves

Preparação
Fernanda Guerriero Antunes

Capa
Tiago Maia

Finalização de Capa
Vanessa Lima

Foto de Capa
Íris de Oliveira

Projeto Gráfico e Diagramação
Gisele Baptista de Oliveira

Ilustração p. 93
Rodrigo Cardoso

Revisão
Laura Folgueira e Mariana Marcoantonio

Jornalistas equipe Febracis
Ana Carolina Coutinho e Gabriela Alencar

Impressão
Bartira

CARO(A) LEITOR(A),
Queremos saber sua opinião
sobre nossos livros.
Após a leitura, curta-nos no
facebook.com/editoragente,
siga-nos no Twitter **@EditoraGente**,
no Instagram **@editoragente**
e visite-nos no site
www.editoragente.com.br.
Cadastre-se e contribua com
sugestões, críticas ou elogios.

Copyright © 2021 by Camila Saraiva Vieira
Todos os direitos desta edição
são reservados à Editora Gente.
Rua Deputado Lacerda Franco, 300 – Pinheiros
São Paulo, SP – CEP 05418-000
Telefone: (11) 3670-2500
Site: www.editoragente.com.br
E-mail: gente@editoragente.com.br

As citações bíblicas foram padronizadas de acordo com a Bíblia Nova Versão Internacional (NVI), disponível em https://www.bibliaonline.com.br/nvi. A citação da página 29 corresponde à Biblia Almeida Revista e Atualizada (ARA).

Dados Internacionais de Catalogação na Publicação (CIP)
Angélica Ilacqua CRB-8/7057

Vieira, Camila Saraiva
    Viva a sua real identidade: Como viver o seu propósito e realizar os seus sonhos apesar do seu passado / Camila Saraiva Vieira. - São Paulo: Editora Gente, 2021.
    256 p.

ISBN 978-65-5544-075-1

1. Autoajuda 2. Desenvolvimento pessoal I. Título

21-2398   CDD 158.1

Índices para catálogo sistemático:
1. Autoajuda

NOTA DA PUBLISHER

Apresentar o livro *Viva a sua real identidade* é um grande desafio para mim. Faltam palavras para descrever a enorme admiração que tenho pela Camila Saraiva Vieira, pois ela não é apenas uma mulher forte, inteligente e sensível a qual eu tive o enorme prazer de conhecer em minha jornada, mas é também uma grande amiga e agora se transforma também em uma autora best-seller com um dos livros mais lindos que já tive a oportunidade de publicar.

Lembro-me perfeitamente da primeira palestra da Camila que assisti no Método CIS©. Milhares de alunos, uma expectativa enorme, silêncio na plateia. Todos focados e com a atenção 100% voltada para o momento em que ela subiria no palco. Era um minuto de apreensão, que logo foi dissolvida com as primeiras frases que Camila disse. E acreditem: essa energia a segue em todos os espaços. Ela é luz em cada palavra que diz, é energia boa, é positividade. Além de autora, Camila é também mãe, esposa, gestora, filha e amiga e uma palestrante incrível que, com coragem, verdade e humildade, apresenta aqui a sua jornada de superação. Ela é orgulho e exemplo, por isso, trago esta obra para você com muito carinho e admiração.

Em sua jornada, Camila passou por muitos obstáculos e desafios, e não tem medo ou receio de mostrar suas vulnerabilidades, pois como ela mesma diz, são essas histórias que mostrarão para todos nós que é possível abrir o seu coração e mudar. E é isso que você encontrará aqui neste livro: como descobrir a sua verdadeira identidade para criar coragem e mudar, priorizando a sua história e elevando a sua felicidade em todas as áreas da vida.

Sinto como se fizesse parte da família Vieira e tenho muito carinho por Camila, Paulo, Júlia, Mateus e Daniel. São pessoas iluminadas que dão o melhor de si para transformar a vida de todos os que estão ao seu redor. A Camila é um exemplo disso e, portanto, convido você, com muito orgulho, a seguir conosco nesta jornada. É possível, sim, encontrarmos a nossa verdadeira identidade e, para dar o primeiro passo, basta virar página. Excelente leitura!

**Rosely Boschini – CEO e
Publisher da Editora Gente**

DEDICATÓRIA

Eu começo dedicando este livro àquele que é o Rei dos reis, o Senhor dos senhores, único digno de adoração. Ele que me segurou pela mão e que tem me conduzido na jornada diária de jogar fora as mentiras sobre mim e mudar minha vida para ser cada dia mais parecida com o plano original D'Ele para mim. Foi Ele quem me mandou escrever o livro e, quando pensei que não iria conseguir, Ele me mandou vários sinais deixando claro que esse projeto é D'Ele e para Ele. Te amo, Jesus! Obrigada por me amar primeiro.

Dedico também ao meu esposo amado, que tanto me apoiou e orientou no conteúdo técnico do livro, no qual ele é perito. Ele sempre esteve (e está) disponível com amor e generosidade para esclarecer minhas dúvidas e enriqueceu o conteúdo com muitas ideias e exemplos. Paulo, eu te amo até a eternidade!

Aos meus amores, Júlia, Mateus e Daniel, responsáveis por não me permitir abandonar o meu processo de cura emocional e busca espiritual. Para ser a mãe que eles merecem e prover o ambiente familiar que eles precisam, eu me joguei de cabeça no estudo profundo que resultou neste livro. Obrigada, meus amores! Vocês me proporcionam os sorrisos mais verdadeiros e abastecem minha vida de amor todos os dias.

Dedico esse livro também ao meu pai e a minha mãe, que são a minha rocha e as minhas maiores inspirações. Como sou grata por tudo que vocês são para mim! Nos meus mais sinceros motivos de gratidão a Deus sempre está o agradecimento por vocês dois serem meus pais. E sigo dedicando essa obra a minha amada irmã Manuela, que me sustentou em amor e em oração nos dias mais difíceis durante o meu processo. Só ela conhecia a dor que sentia em meus momentos de falta de esperança e sempre tinha uma palavra de fé e amor para acalmar a minha alma e o meu coração.

Por fim, dedico este livro a você, querido leitor, que tem me deixado segurar a sua mão todos os dias e que aceitou trilhar esse caminho de crescimento junto comigo, com meus erros e acertos, que tem compartilhado suas histórias, dores, medos e também vitórias.

Este livro foi escrito especialmente para você, que está presente em cada palavra, pois meu objetivo sempre foi lhe ajudar na busca de si mesmo. Nestas páginas, acredito, com a mais profunda fé, que existem as chaves divinas para ajudar você a viver o seu processo, o apoiando durante a jornada e o conectando cada dia mais com a sua real e verdadeira identidade.

PREFÁCIO

Um livro escrito com verdade, coragem e humildade narrando a história de alguém que busca, todos os dias, ser a mulher que nosso Deus deseja que ela seja. É com muita gratidão e amor que escrevo o prefácio deste que é o primeiro livro escrito pela minha amada esposa, amiga, companheira, sócia e mãe dos nossos três filhos. Camila também é uma dedicada filha, amiga, irmã e tem o propósito, muito bem definido, de semear transformação.

Eu tenho o privilégio de acompanhar a Camila desde o início dessa jornada e posso dizer que ela, de fato, tem vivido intensamente cada etapa do processo. Por isso, eu convido você a, neste momento, abrir seu coração, pois você está prestes a também viver essa jornada e mudar sua história para sempre.

Eu lembro bem do dia em que ela foi convocada por Deus para viver essa missão. Na ocasião, uma mulher, cheia do Espírito Santo, disse para ela: "Te humilhas, te humilhas, te humilhas. Quanto mais te humilhares, mais eu te usarei. Te humilhas e alinha as tuas emoções". Desde então, tenho visto em minha esposa um esforço sobre-humano para alinhar as emoções, se humilhar e se colocar diante da submissão de Deus.

Alinhar as emoções significa desenvolver a inteligência emocional para usar as emoções certas, na intensidade certa e nos momentos certos. Já o chamado a se humilhar significa destruir diariamente a estrutura de orgulho usada ao longo da vida para se proteger das dores do passado. Dores essas que são capazes de destruir o presente e o futuro das pessoas.

Hoje, vejo a Camila sendo a coluna de milhares de pessoas que precisam viver essa mesma jornada. Eu a observo agir, diariamente, para ser uma mão amiga, uma luz de esperança para quem está machucado pela culpa, pelo orgulho, pela rejeição e pela autossabotagem.

Como um diamante, esta obra foi lapidada aos poucos. Foram vários meses e várias madrugadas de imersão, nas quais observei a Camila escrevendo cada palavra com muito amor, emoção, carinho e fé, refletindo sobre cada exemplo e ferramenta trazidos aqui.

Afirmo, com convicção, que esta obra é fruto de muitas orações. Orações que direcionaram o coração da minha esposa para fazer destas páginas um canal de Deus para abençoar a todos que estão dispostos a viver um processo de mudança para muito melhor. Senão por si mesmos, pelo menos por aqueles a quem amam.

Se você se encontra, neste momento, deixando a vida levar você, como um barco à deriva, sem propósito, sem reconhecer quem, de fato, é, com relações pessoais e profissionais conflituosas; se está pensando em desistir de tudo ou apenas está se contentando em viver uma vida boa, apenas boa, com resultados bons, eu o convido a mergulhar nesta leitura, de todo o coração, para que você deixe de ter resultados ruins, ou apenas bons, e possa viver o extraordinário.

Este livro é uma intimação, um desafio, para que você reflita sobre tudo o que está fazendo hoje e, com consciência, entenda qual é a verdadeira identidade que Deus preparou para a sua vida e passe a vivê-la intensamente. Tenha a certeza de que você não estará mais perdido, pois esta obra é uma bússola, que guiará você no caminho do autoconhecimento, do alinhamento das suas emoções e do autoperdão.

Como testemunha ocular do processo da Camila, posso garantir que a transformação não será apenas sua, mas de toda a sua família e de quem convive com você, pois a energia de mudança será capaz de gerar uma profunda renovação em todos que o rodeiam.

Talvez você não saiba, mas pode estar nutrindo um orgulho que o tem afastado da sua real identidade e melhor versão. Afinal, superar os traumas que colocam sua vida emocional no chão é uma tarefa que exige, além de dedicação, a capacidade de viver um processo que nem todos são capazes de enfrentar sozinhos.

Mas, se você está aqui, quer dizer que está disposto a mudar e ser uma nova pessoa. Portanto, prepare-se: as mudanças estão prestes a acontecer. Viva o processo, não pare no meio do caminho, pois isso vai garantir que você voe muito, muito alto.

Não tenha a mínima pressa de chegar ao fim da leitura, pois este não é um livro qualquer. Cada parágrafo foi gestado para inspirar e conduzir a sua mudança. Coloque para fora toda as inquietações e decisões que surgirem, não negligencie a sua transformação, pois a obra que você tem em mãos é a prova de que viver o processo traz resultados na vida dos que estão dispostos a pagar o preço para ir além.

Mais do que desejar que esta seja uma boa leitura, o meu desejo é que a sua transformação, por meio deste livro, seja profunda e duradoura. Camila e eu acreditamos que você possui dentro de si o poder para transformar a sua vida para sempre e se tornar quem verdadeiramente nasceu para ser. Como a Camila diz, existe algo nesta Terra que espera por você para se realizar e ela vai pegar na sua mão para ajudá-lo a chegar lá!

Deus abençoe você e um forte abraço!

Paulo Vieira

30 Dias FREE

Com a compra deste livro, você recebeu **30 dias de acesso gratuito** na Comunidade EVA!

O clube de assinatura pessoal da Camila Vieira

- 90 semanas de aulas
- 100 horas de conteúdo
- 90 Podcasts originais
- 1.630 membros ativos
- Aulas novas toda semana
- Área de membros exclusiva
- Plataforma 100% digital
- Disponível 24 horas por dia
- Além de Vídeos exclusivos de Reprogramação Subliminar!

Com seu celular, escaneie o QR code abaixo e pegue o seu acesso gratuito.

Escaneie o QR code ao lado ou acesse:
comunidadeeva.com.br

SUMÁRIO

14 CAPÍTULO 1
SUA VIDA VAI MUITO ALÉM DISSO

46 CAPÍTULO 2
ONDE FOI QUE EU ME PERDI

70 CAPÍTULO 3
REJEIÇÃO, A MAIOR DE TODAS AS DORES

110 CAPÍTULO 4
IDENTIFIQUE AS CONSEQUÊNCIAS E VENÇA-AS ENQUANTO HÁ TEMPO

142 CAPÍTULO 5
O GRANDE MOTIVO DO FRACASSO HUMANO: O ORGULHO

168 CAPÍTULO 6
É PRECISO VIVER O PROCESSO

184 CAPÍTULO 7
A CULPA E O LUGAR DE PRISÃO E AUTOSSABOTAGEM EM QUE ELA NOS COLOCA

198 CAPÍTULO 8
O PERDÃO E A COMUNICAÇÃO DE AMOR COMO O COMBUSTÍVEL PARA FAZER TUDO NOVO

236 CAPÍTULO 9
AINDA NÃO ACABOU! O MELHOR COMEÇA AGORA

1

SUA VIDA VAI MUITO ALÉM DISSO

Quero começar este livro trazendo para você a consciência a respeito de uma verdade poderosa que existe sobre a sua vida. Talvez, até hoje, você tenha vivido sem conhecê-la. Ou, então, quem sabe até já ouviu falar dela, mas era algo tão distante da realidade que acabou esquecendo-se de que ela existe.

E qual verdade é essa?

A verdade é que Deus o conhece pelo nome, pois Ele o formou no ventre da sua mãe, e já o amava antes mesmo de seus pais saberem da sua existência. O Senhor o escolheu para viver um projeto específico neste mundo e, apesar de quase 8 bilhões de pessoas habitarem nosso planeta, só você pode cumprir esse projeto. Conhecido também como propósito, você nasceu de maneira que pudesse cumpri-lo – e saiba que possui todas as competências, habilidades, características e personalidade necessárias para realizar com excelência essa missão. A verdade é que existe um propósito na sua vida!

Por isso, quero convidá-lo a ler novamente o parágrafo anterior, sem pressa, refletindo sobre cada palavra. Em seguida, pare um pouco para analisar sua vida hoje. Você sabe qual é o seu propósito? Tem vivido todos os seus dias em busca de cumpri-lo em plenitude? Ou será que tem apenas vivido a sua vida como uma rotina sem fim, abarrotado de tarefas e mais tarefas, sobrevivendo dia após dia? Entre o momento de acordar e o de dormir, você apenas executa papéis e missões sem paixão e sem, muitas vezes, entender o verdadeiro porquê?

Um dia, fui apresentada a essa verdade e confesso que a achei linda, confortante e até poética, mas parecia algo tão distante de mim que eu não conseguia ver como poderia fazê-la se tornar realidade. Meu coração, porém, foi profundamente tocado sobre a existência de um propósito para minha vida e eu comecei a observar os indivíduos à minha volta, buscando entender se eles já viviam seus propósitos ou se ainda estavam como eu, apenas cumprindo tarefas e metas. Para minha surpresa, notei que essa verdade já fazia muito sentido na vida de algumas pessoas que eu conhecia e passei a perceber com muita clareza qual era o propósito de cada uma. Achava lindo testemunhá-las cumprindo e realizando suas missões e, algumas vezes, até pensava o quanto devia ser gratificante viver uma vida de fato relevante. E me perguntava constantemente qual seria meu propósito de vida. Por que eu nasci?

Partindo do princípio de que a palavra de Deus é 100% verdadeira, eu estava convencida de que o Pai me chamou para realizar algo importante, algo que Ele projetou para mim. No entanto, até então, eu não conseguia identificar nada que fosse tão nobre e tão relevante que pudesse ser chamado de propósito.

Tenho que admitir que, às vezes, minha mente se enchia de pensamentos de inferioridade e vitimização, e o sentimento reinante era a frustração. E, para provocar ainda mais em mim essa "frustração", eu tenho o privilégio de ter bem pertinho de mim alguém que já há muitos anos é completamente movido pelo seu propósito. Ele é incansável no que faz. Brincamos que ele é imparável, pois sabe qual é a missão que nasceu para cumprir. Estou falando do homem da minha vida, com quem eu divido a cama, os filhos, a empresa, os desafios da jornada e também os sonhos mais lindos. Estou falando do meu marido, Paulo Vieira. As pessoas que têm o privilégio de conviver diariamente com ele sabem que Paulo é o exemplo perfeito de viver pelo propósito. A energia, a disposição, a busca por saber mais e mais, sempre estudando e se dedicando a conhecer melhor o ser humano, e sua gigante capacidade de amar ao próximo são inspiradoras e surpreendentes.

Eu seria capaz de escrever dezenas de páginas contando aqui para você, leitor, histórias da nossa vida em que o Paulo parecia virar um super-homem para cumprir o seu propósito. Por inúmeras vezes eu o vi, por exemplo, levantar-se da nossa cama doente, com dores fortíssimas provocadas por crises na coluna que o impediam até de ficar em pé, e seguir em frente, a fim de realizar treinamentos. Ele não estava indo trabalhar ou realizar uma tarefa qualquer. Ele estava indo cumprir a missão para a qual foi destinado. Quem já viu o Paulo ministrando sozinho por 55 horas – quase consecutivas (em três dias) – no Treinamento do Método CIS©, conduzindo intelectual e emocionalmente milhares de pessoas para que elas recebessem infinitamente mais em suas vidas do que foram buscar no treinamento, pode contemplar o que um propósito claro gera de força e convicção em um ser humano.

Sempre admirei muito isso em meu marido, mas só quando conheci essa verdade, a verdade que deixa claro que existe um propósito para mim e para você, eu passei a compreender de onde vêm toda essa fonte inesgotável de sabedoria e essa coragem de fazer o que precisa ser feito – do Paulo e de todos que já entenderam aquilo para o qual nasceram, que já se apossaram de sua missão e do seu propósito de vida.

Sou muito grata a Deus por ter o Paulo ao meu lado, pois o confronto de realidades distintas ao qual eu era exposta diariamente me fez manter o foco nessa busca.

Quero que você entenda que era muito fácil eu me esconder atrás dos bons resultados que eu já gerava na minha vida. Afinal de contas, eu sempre busquei cumprir com qualidade meus papéis de esposa, mãe, filha, nora, amiga, cristã e sócia do Paulo nas empresas. Sempre trabalhando muito, superfocada em ter excelentes resultados, mas movida pelos porquês errados. Apenas vivendo, fazendo por fazer e para me sentir importante e valorizada. Para receber elogios e, assim, me sentir amada. Ao longo destas páginas, vou contar a você em que momento da minha vida aprendi que meu valor estava no que eu fazia, não em quem eu era. Mas vamos deixar isso mais para a frente.

Ver o meu marido ao meu lado vivendo com perfeição o que ele nasceu para viver era como um espinho diário na minha carne, não me deixando esquecer que, apesar de ser tão ocupada e gerar tão bons resultados, eu ainda não sabia o propósito para o qual Deus havia me criado. Para ser ainda mais sincera com você, eu já tinha até desistido. Havia guardado no meu cérebro, em alguma gavetinha sem tanta importância, esse negócio de ter que cumprir um propósito.

Como sempre fui muito focada em resultados, passei a dizer, principalmente para mim, que meu propósito na vida era "apenas" cumprir meu papel de esposa do Paulo, promovendo para ele um lar feliz e cheio de paz, sendo a sócia que gere, com competência, as empresas para que ele esteja o maior tempo possível disponível, vivendo seu papel e cumprindo seu propósito com maestria.

Enfim, durante muitos anos, pressupus que meu único propósito na vida era promover a atmosfera adequada para o propósito do Paulo fluir. E sabe que hoje tenho convicção de que eu estava certa? Isso mesmo! Dentro do propósito para o qual Deus me fez está, com prioridade absoluta, o de ser uma esposa sábia, uma mãe dedicada e que contribui para que cada filho cresça forte, feliz e com valores alinhados ao que acreditamos ser o melhor para eles. Nesse âmbito, está também o meu papel de sócia do Paulo.

Na minha busca pela minha identidade perfeita, por encontrar a minha essência e o meu propósito, ficou muito claro que, durante toda a minha vida, eu estava sendo treinada e (por que não dizer?) forjada para viver o que vivo hoje. Talvez você diga que não tem propósito na sua vida, que vive envolto em tarefas sem sentido e que não alegram seu coração. Assim, quero dizer-lhe que talvez você esteja hoje sendo treinado, transformado e, como eu fui, forjado para cumprir sua missão. Esse treinamento é necessário para o próximo passo.

Gostaria que, já no início deste livro, você soubesse que eu continuo sendo responsável por todos esses papéis de mãe, de esposa que busca ser sábia todos os dias, de empresária que precisa gerar grandes resultados; afinal de contas, são milhares de vidas e famílias que vivem por meio de nossas empresas. E continuo sendo responsável pela missão de transformar todos os dias a nossa casa em um lar cheio de alegria, paz e amor, criando a atmosfera perfeita não só para que o Paulo possa cumprir o propósito dele, mas para que também meus filhos cresçam entendendo que são preciosos, que são muito amados, que têm um valor único e que nasceram para realizar grandes coisas. Esse meu papel de produzir essa atmosfera frutífera é, sem dúvida, a mais nobre das minhas responsabilidades, sem a qual eu não teria nenhuma autoridade para escrever este livro para você. Sem cumprir primeiro esses papéis, eu jamais poderia viver o meu propósito.

Agora, quero voltar à **verdade**. A verdade que diz que Deus o conhece pelo nome, que Ele o ama, que o criou para cumprir um papel que é só seu nessa terra. Que Ele o formou porque existe propósito na sua vida. A verdade que conta que o Pai deu Seu único filho para morrer por você.

UAU! Sinceramente, que outra demonstração de amor maior do que essa você já recebeu? Pois é, esse DEUS que o ama desse jeito também tem outra promessa para sua vida. Ele diz na Bíblia, em João 10:10: "O ladrão vem apenas para furtar, matar e destruir; eu vim para que tenham vida, e a tenham plenamente". Então, existem, sim, promessas de abundância sobre mim e sobre você. Existe, sim, esperança.

Deixe-me contar um segredo a você. Aquilo que você vive hoje, seu casamento, sua situação financeira atual, o relacionamento com seus filhos ou sua dificuldade em ter filhos ou em casar, são os resultados das suas ações nessas áreas da vida ou das suas omissões. Ou seja, do que você fez e deixou de fazer. Não existe colheita sem plantação. Você já viu alguém plantar uva e colher maçã?

Sei que dói pensar nisso. E sabe por que eu sei que dói? Porque, por muitas e muitas vezes, quando quis lamentar ou criticar algum resultado que estava colhendo na minha vida, eu me lembrava de que eu era 100% responsável por ele.

Talvez você esteja dizendo neste momento que não concorda comigo e que você é muito gente boa e que não merece de jeito nenhum a vida que está vivendo. Quem sabe esteja achando que estou sendo muito cruel dizendo que você é a única pessoa responsável por tudo que tem acontecido na sua vida? Mas quero muito que você perceba em seu coração o quanto esse princípio da autorresponsabilidade é libertador. Dói, mas liberta!

Veja o poder que existe no entendimento de que eu sou a única responsável pelo que tenho vivido no meu casamento. O casamento está ruim? Responsabilidade minha. Se eu entendo que a responsabilidade é minha, automaticamente, meu cérebro vai me perguntar: "O que você precisa mudar em si mesma? O que você decide fazer de diferente hoje?". E são as respostas a essas perguntas que demonstram a minha responsabilidade pelo que está acontecendo, bem como as soluções para os problemas.

O princípio da autorresponsabilidade precisa ser usado para tudo. Você está infeliz com sua vida profissional? Você está com problemas na sua vida financeira? Faça perguntas a si mesmo, com sinceridade. O quanto tem se dedicado a fazer muito mais do que esperam de você no seu trabalho? O quanto o que você produz e o que entrega têm sido relevantes e importantes para a empresa e para as pessoas com quem convive? O quanto o seu cliente é "amado" com o produto ou serviço que você entrega? O quanto você está disposto a fazer o que precisa ser feito para ganhar mais e gastar menos?

Vou repetir só para me certificar de que você entendeu. Quando assumir que é o único responsável pelos seus resultados, você vai sair da posição de coitadinho e de vítima e se posicionar como alguém que está pronto para agir certo e agir rápido. Você vai precisar estar com o princípio da autorresponsabilidade no seu coração a fim de viver todo o processo contido neste livro, o processo que mudou a minha vida.

Conhecer seu propósito de vida e conseguir vivê-lo passa antes por fazer da autorresponsabilidade um princípio na sua vida.

Agora que você já sabe que é o único responsável pela vida que tem hoje, preciso que saiba que os seus resultados atuais só definem quem você vinha sendo, mas não definem quem você será. Seu comportamento até aqui fala de quem você vinha sendo, mas o que você vai fazer daqui para a frente, quem você decidirá ser é o que importa. Como o Paulo Vieira nos ensina, o que aconteceu até aqui é apenas 10%. E os 90% restantes são o que você decide fazer com o que aconteceu na sua vida.

Vou contar algo que aconteceu com a nossa filha Júlia quando ela estava com mais ou menos 12 anos e em uma semana intensa de provas na escola. Ela sempre foi muito responsável com os estudos. As matérias de Ciências Humanas fluem com muita facilidade, pois sempre esteve muito claro para a Júlia e para nós, seus pais, sua facilidade com palavras, pensamentos, História e Filosofia. Mas ela estava tendo dificuldade com as matérias de Ciências

Exatas, como Matemática e Física. Certo dia, ela me ligou no meio da manhã, da escola, chorando. Fiquei superpreocupada, achando que ela poderia ter sofrido algum acidente. Então, perguntei:

— Filha, o que aconteceu?
— Mãe, aconteceu uma coisa terrível.
— Que coisa terrível? Fale logo!
— Eu tirei uma nota muito baixa em Matemática. — Estava aos prantos. — Mãe, não tem jeito. Eu não nasci para números. Não consigo aprender.

Assim que ouvi aquilo, percebi tudo o que estava por trás da comunicação contida nessas palavras da nossa filha. Naquele momento, o que a Júlia estava me dizendo era que ela não se sentia capaz o suficiente de vencer a dificuldade com as Ciências Exatas, que não se sentia boa o bastante e que, por causa da sua suposta dificuldade, ela estava tirando de si a responsabilidade por melhorar os seus resultados, dizendo que não tinha nascido para números.

Como sabemos exatamente o que acontece com quem não assume a responsabilidade pelos seus atos, nós a repreendemos na mesma hora, trazendo para ela a consciência sobre essa situação. Eu disse: "Filha, antes de qualquer coisa, você precisa saber que você é infinitamente mais do que essa nota baixa. Amamos você da mesma forma com notas altas e com notas baixas. A segunda coisa que você precisa entender é que essa nota baixa é apenas 10%. O que você vai fazer sobre isso é que vai definir a importância desse episódio da nota baixa na sua vida. E

Conhecer seu **propósito** de vida e conseguir vivê-lo passa antes por fazer da **autorrespon-sabilidade** um princípio na sua vida.

a terceira coisa é que você é a única responsável por essa nota; logo, só você pode mudar essa situação".

Nossa menina processou todas as informações e, como esses conceitos já faziam parte da nossa vida e do nosso dia a dia em família, sua compreensão foi muito fácil e rápida. O mais bacana dessa história é o que aconteceu com a vida escolar da Júlia daí em diante. Ela criou sozinha uma nova rotina diária de estudo, passou a dedicar mais tempo às matérias nas quais tinha mais dificuldade, buscou professores peritos nessas disciplinas para ter aulas extras, parou de comunicar que não gostava de Matemática e Física. E você sabe o que aconteceu? Suas notas nessas disciplinas deram um salto gigante e, como passou a se sentir capaz de vencer os desafios em sua vida, ela se inscreveu para a seleção da turma especial da escola em que teria um nível superior de conteúdo e de cobrança. E foi aprovada. E o resultado acadêmico que ela conquistou em sua vida foi o menor dos ganhos. Essa experiência fez a Júlia ter sua crença de capacidade fortalecida, e seu senso de que é a única responsável pelos seus resultados foi inserido em sua mente de maneira poderosa.

Assim como aconteceu com a Júlia, a sua vida é infinitamente mais do que os resultados ruins ou medíocres que você pode estar tendo hoje. Esqueça as mentiras que ouviu sobre você. Filho de peixe só é peixinho se for muito bom para ele assumir esse papel. Não aceite mais adjetivos que não combinam com a pessoa que você decide ser de agora em diante.

Talvez tenha crescido ouvindo que você é preguiçoso ou pouco inteligente. Quem sabe você tenha ouvido repetidas vezes que não é capaz ou que seus irmãos ou outras pessoas são muito melhores do que você? Quem sabe você tenha tido ao longo de sua vida uma série de experiências de relacionamentos desastrosos ou uma sequência de fracassos na sua vida profissional e financeira? Mas isso é apenas 10%. Independentemente do que viveu até chegar aqui, dos "ataques" que podem ter sido feitos à sua identidade e à sua capacidade, você tem uma promessa de vida abundante. Você possui capacidade de acessar a pessoa que nasceu verdadeiramente para ser e de construir uma nova história. Essa é a grande mágica que existe sobre assumir a verdade que estou apresentando neste capítulo. A verdade que liberta e transforma.

E sabe por que falo isso com toda a certeza que existe em mim? Porque essa foi a história da minha vida. Eu vivi o processo. Ao longo da leitura deste livro, vou conduzi-lo pelo caminho que percorri para restaurar a minha identidade e para compreender e assumir meu propósito. Vamos nos aprofundar muito nisso ao longo dos próximos capítulos, pois assumir quem você nasceu para ser passa por abrir mão da sua identidade velha e, muitas vezes, inferiorizada. Você aceita meu convite para vivenciar comigo esse processo? Prometo que estarei aqui com você, segurando o tempo todo na sua mão, e que vai valer a pena.

Imagino que, neste momento, você possa estar ouvindo uma voz mental, tão forte que chega a ser quase audível, dizendo que esse negócio de uma vida abundante não é para você. Talvez esteja dizendo a si mesmo que eu não conheço a sua história de vida e que estou falando como se tudo fosse muito simples de resolver. Talvez esteja

Você possui capacidade de acessar a pessoa que nasceu verdadeiramente para ser e de construir uma nova história.

dizendo que só você conhece suas dores. Acertei? Acredito que sim.

Se acertei e você realmente estiver enchendo sua mente com esses pensamentos que gosto de chamar de "sabotadores de sonhos", isso só reforça o quanto está no lugar certo, no momento certo da sua vida e com o livro certo em suas mãos.

Agora, vou prepará-lo para viver o processo. Vamos começar aprendendo a calar essas vozes que roubam seus sonhos. E sabe como conseguiremos fazer isso? Renovando a mente. Em Romanos 12:2, recebemos o seguinte ensinamento: "Não vos conformeis com este mundo, mas transformai-vos pela renovação da vossa mente, para que proveis qual é a boa, agradável, e a perfeita vontade de Deus". Esse versículo bíblico está nos falando que o caminho para experimentarmos e vivermos a agradável e perfeita vontade de Deus para nossa vida é renovando e transformando nossa mente. Quando falamos de renovar a mente, estamos dizendo que devemos mudar nossos pensamentos, nossa comunicação (palavras e postura corporal) e nossos sentimentos.

Observe que quando ainda não tenho a consciência de que sou a única responsável pela vida que tenho levado e estou cheia de problemas e desafios, a minha tendência natural – comportamento padrão de alguém ainda não sábio e transformado – é reclamar (palavras de lamúria), culpar os outros e o mundo pelos meus maus resultados (dizendo para minha mente que a responsabilidade não é minha) e me vitimizar.

Quando uma pessoa não autorresponsável enche o dia com palavras negativas e com uma postura corporal de quem está carregando o mundo nas costas (imagine a cena: você curvado, olhar cabisbaixo e triste), ela passa a pensar só coisas ruins, acreditando que nada vai dar certo, que seus problemas podem ficar ainda maiores e que dias piores virão. Dessa forma, encherá o coração de sentimentos de tristeza, desesperança, desânimo, mágoa, rancor e dor.

Se essa pessoa viver assim por muitos anos, entrando e saindo de crises emocionais, conjugais, financeiras, em um círculo vicioso que parece não ter fim, sempre comunicando, pensando e sentindo tristeza, ela será uma forte candidata às doenças da alma como depressão, ansiedade, pânico, além de ter pensamentos suicidas.

No Método CIS©, o Paulo chama o processo em que o ser humano comunica, pensa e sente de Matriz de Geração de Crenças. Sempre que comunico algo com minha boca ou meus comportamentos (fique atento, pois o seu corpo também fala) e penso sobre algo com frequência e intensidade, alimentando meus sentimentos, estou formando as minhas crenças.

Crenças aqui não têm nada a ver com sua fé, mas com a forma como emocionalmente você acredita que é. Em Provérbios 23:7 está dito: "Assim como você pensa na sua alma, assim você é". Ou seja, a vida que vive hoje é definida pela forma como emocionalmente você se vê, pelo valor que você entende que sua alma tem, pela capacidade que acreditar ter de fazer o certo e pelo quanto crê que merece coisas boas ou ruins. É muito forte entender que, cada vez que abro a boca, estou construindo os resultados da minha vida. É muito libertador saber que tudo que ocupa os meus pensamentos está construindo minhas crenças e determinando meu futuro.

Agora que você entendeu que a sua vida é desenhada pelas suas crenças e que pode mudá-las modificando sua comunicação, seus pensamentos e seus sentimentos, vamos começar o processo.

Antes, quero definir a palavra **processo**: uma ação contínua e prolongada de alguma atividade. Ou seja, estou convidando você a viver algo que vai lhe exigir uma ação contínua e prolongada. Existe um preço a ser pago para buscar sua identidade perfeita. Existe um caminho a ser percorrido para você se conectar com quem Deus o fez para ser e poder viver seu propósito. É importante saber que hoje você já paga um preço por não viver esse processo. Sempre fazemos escolhas por ação ou por omissão e nossos resultados falam das nossas escolhas até aqui.

Se você comprou este livro, ou ganhou, e o está lendo, existe uma promessa contida nele que despertou seu interesse. Eu asseguro que a promessa é preciosa e que vai valer a pena viver o processo.

Tive o privilégio de conviver por alguns anos com uma sábia senhora, a pastora Nilza Munguba, que já está com o Pai no Céu. Ela nos ensinou que "quem para no meio do caminho não chega a lugar nenhum". Eu a ouvi falar isso inúmeras vezes, mas tenho certeza de que esse princípio de vida foi cravado no meu coração e no do Paulo quando estivemos com ela dias antes de seu falecimento.

A pastora Nilza estava no seu leito do hospital, respirando com ajuda de aparelhos, pois seu pulmão estava parando de funcionar. Ela mal conseguia falar, e se movimentar era um grande desafio. Ao menor esforço, sentia muita falta de ar. Um dia, fomos visitá-la e assistimos pessoalmente a uma reunião por telefone entre ela e uma de suas lideradas na igreja local. Ela e seu marido, Pr. Samuel Munguba, eram os pastores fundadores de uma relevante igreja em Fortaleza, e a pastora Nilza foi responsável durante décadas pelo ministério de casais. Nessa ligação, com muito esforço, ela passava para a sua liderada todos os detalhes das atividades que precisavam ser cumpridas para que o encontro de casais que estava com data marcada fosse perfeito, que a programação fosse seguida e que as experiências dos casais fossem inesquecíveis, mesmo sem a sua presença. Ela sabia que seus dias aqui seriam poucos, então deixou tudo que era responsabilidade dela na igreja registrado em vídeos e anotações, de modo que o propósito e a sua missão seguissem com excelência após a sua partida. No dia de seu sepultamento, assisti a um desses vídeos em que ela orienta que todos sigam com as tarefas como ela os treinou e lembra que **quem para no meio do caminho não chegará a lugar nenhum**. O que a pastora Nilza estava nos ensinando com a sua própria vida é que precisamos viver o processo. Processos existem para ser vividos. Só recebe a recompensa quem vive o processo até o fim.

Eu tenho vivido o meu processo. Já tenho recebido minhas recompensas, e o caminho que tracei na minha vida é o que está aqui detalhado neste livro para que você também viva seu processo, sem parar no meio do caminho, e receba todas as suas recompensas.

O primeiro passo foi renovar a minha mente. Parar de focar na dor e nas dificuldades e criar um cenário novo e cheio de lindas possibilidades. Sabe como consegui isso? Criando para mim uma **visão positiva de futuro**.

Uma pessoa sem uma visão clara de seus objetivos e projetos não encontra em si energia suficiente para vencer as dificuldades e os desafios. Quando conversamos com pessoas que apresentam sintomas de depressão, é muito comum perguntarmos sobre seus sonhos. Elas, por sua vez, nos respondem dizendo não terem mais sonhos, muito menos uma visão positiva sobre seu futuro. Elas simplesmente vivem um dia de cada vez, sem nada que gere entusiasmo e força para agir.

A mente precisa do estímulo certo e da intensidade correta para gerar a química que nos conduz a tomar uma decisão e ter atitude, entusiasmo, coragem e ousadia para fazer o que precisa ser feito a fim de conquistar os nossos objetivos. Ter uma visão clara do que eu desejo viver é o estímulo perfeito para gerar essa energia para a ação.

Em Habacuque 2:2,3, Deus responde à oração do profeta que clamava pelo povo da tribo de Judá dizendo: "Escreva claramente a visão em tabuinhas, para que se leia facilmente. Pois a visão aguarda um tempo designado; ela fala do fim, e não falhará. Ainda que se demore, espera-a; porque ela certamente virá e não se atrasará". Essa orientação de Deus ao profeta é sobre uma visão que Ele, o próprio Deus, daria sobre o que Habacuque vinha clamando. Mas o detalhe está em colocar a "promessa" em tábuas, de maneira clara, para se manter acreditando e buscando, pois no momento apropriado ela vai se cumprir.

De fato, nossa mente precisa de uma visão. Quanto mais clara, mais cheia de detalhes, mais colorida e acurada for essa visão, mais nosso corpo produzirá tudo de que precisamos para seguirmos agindo e criando a nossa realidade na direção dos nossos objetivos. E trabalhamos assertivamente para que sejam concretizados quando construímos o Mural da Vida Extraordinária – que o Paulo nos ensina a criar no Método CIS©. Ao colocarmos no papel a visão detalhada de cada um dos nossos objetivos, estamos ativando em nós os quatro aspectos da realização humana.

O primeiro aspecto é o Comportamental. Uma visão clara e exposta em local onde eu possa vê-la diariamente me faz focar o que de fato é importante para mim. E focar significa alinhar minhas decisões e atitudes ao que quero conquistar; significa agir na direção da minha visão.

O segundo aspecto é o Emocional. O processo de me imaginar vivendo meus objetivos, de escrever a minha visão, de escolher cada imagem para colocar no mural e de me sentir vivendo cada uma daquelas cenas produz em mim a crença de que sou capaz e de que sou merecedor. E nós só vivemos aquilo em que acreditamos.

O terceiro aspecto é o Quântico. A teoria da Física Quântica diz que quem cria a realidade é o observador e que tudo que acontece fora de nós, em nossa vida, já aconteceu antes em nossa mente. O que acontece em nossa vida é apenas a manifestação do que já aconteceu dentro de nós. A Física Quântica nos mostra que toda forma de observação interna, ou seja, através dos nossos pensamentos, imaginações e lembranças do passado, determina a maneira pela qual projetamos o nosso presente e o nosso futuro.

O quarto aspecto é o Espiritual. Deus ama realizar o desejo do nosso coração, mas você pode estar se perguntando por que seus desejos não são atendidos por Ele. A palavra de Deus diz que se pedimos e não recebemos porque pedimos mal, pedimos para nossos prazeres pessoais e egoístas. Deus sonda corações. Outro erro é que há aqueles que pedem o sonho, mas se esquecem de pedir que o Senhor os capacite para realizar e manter o sonho. As pessoas pedem a casa própria, por exemplo, mas não pedem que Deus as capacite para conquistar a casa própria. Você consegue entender a diferença entre as duas orações?

Exatamente por contemplar esses quatro aspectos descritos é que o Mural da Vida Extraordinária é tão poderoso.

ACESSE ESTE QR CODE E VEJA O EXEMPLO DE UM MURAL DA VIDA EXTRAORDINÁRIA.

https://digital.febracis.com/viva-sua-real-identidade

Saiba que, por muitas e muitas vezes, essa visão positiva do meu futuro me sustentou e me manteve olhando para o melhor que eu acreditava que estava por vir. Por mais difícil que parecesse, ter essa visão clara alimentava a minha fé, me mantinha focada, me fazia ter a atitude certa, conservava em mim uma comunicação de otimismo e tirava meus olhos e pensamentos da situação de dor, enchendo minha mente e meu coração de esperança.

Minha promessa com este livro é levar você a conhecer o plano original de Deus para sua vida, sua identidade perfeita, e viver seu propósito. Se você aceitou participar dessa aventura, quero explicar que, ao longo da leitura, vou convidá-lo a fazer algumas atividades. É fundamental que você realize essas tarefas de verdade, sempre com uma caneta na mão. Este livro precisa estar completamente preenchido e todo rabiscado quando você chegar à última página. Essa será uma evidência de que você realmente aceitou meu convite para viver o processo. E, quando lhe for desafiador o exercício proposto, lembre-se de que eu estou segurando na sua mão e de que, se eu pude, você também pode.

Vamos, então, para a primeira atividade: construir sua visão positiva de futuro. Acesse este QR code, assista ao vídeo em que eu o conduzo durante todo o exercício. À medida que o vídeo avançar, você vai escrever nas linhas a seguir sua visão extraordinária para cada uma das áreas da sua vida.

ACESSE ESTE QR CODE E ENTENDA AS ETAPAS PARA CRIAR O SEU MURAL

https://digital.febracis.com/viva-sua-real-identidade

Minha visão positiva de futuro é...

Data: _____ / _____ / _____

1. Pilar espiritual

_____

_____

_____

_____

_____

2. Pilar conjugal

_____

_____

_____

_____

_____

3. Pilar filhos

4. Pilar parentes

5. Pilar social/lazer

6. Pilar saúde

7. Pilar profissional

8. Pilar financeiro

9. Pilar emocional

10. Pilar intelectual

11. Pilar servir

Agora que você descreveu como será sua vida extraordinária, que já imaginou, sonhou, pensou e colocou em palavras cada pilar, só falta transformar tudo isso em uma visão. Assim como aprendemos na leitura de Habacuque 2:2,3, selecione imagens lindas que sejam as mais parecidas possíveis com o que você descreveu em cada pilar. Não tenha pressa, invista tempo e seja bastante exigente na escolha das suas imagens. Afinal de contas, estamos falando do que você vai buscar viver em sua vida.

Depois de escolhidas, organize todas as imagens em uma grande folha de papel e cole essa folha em um lugar que você veja todos os dias para fazer o exercício de visualização que está no meu vídeo. Esse detalhe é fundamental para mantê-lo caminhando em direção aos seus sonhos.

Minha família atualiza o Mural da Vida Extraordinária todos os anos. No dia 31 de dezembro, eu e o Paulo sentamos e analisamos tudo o que conseguimos conquistar no nosso mural do ano que está terminado. Enchemos nosso coração de gratidão pelas conquistas e analisamos também o que ainda não aconteceu. Em seguida, refazemos o exercício que você acabou de fazer. Escrevemos no nosso caderno de capa preta todos os nossos projetos para o ano que vai começar e nossos sonhos para cada área da nossa vida.

SE QUISER SABER MAIS SOBRE ESSE CADERNO DE CAPA PRETA, ASSISTA AO VÍDEO ACESSANDO ESTE QR CODE.

https://digital.febracis.com/viva-sua-real-identidade

Sempre fazemos isso juntos, pois assim garantimos que o casal vai olhar e agir na mesma direção. Depois que escrevemos os planos para cada área da vida, é hora de selecionarmos as imagens que retratam nossa visão extraordinária. Nosso mural fica colado na parte de dentro da porta do nosso banheiro para que todos os dias, por várias vezes, possamos olhar para ele e alimentar nossa mente dos motivos certos para agir. Existe uma etapa muito importante na construção do mural. Quando ele está concluído, nós fazemos uma oração, apresentando para Deus cada um daqueles objetivos e pedindo que só aconteçam se estiverem 100% alinhados à vontade do Pai para nossa vida. Eu e o Paulo temos muitos depoimentos de conquistas dos nossos sonhos que vieram da visualização do nosso mural e que aconteceram no tempo apropriado. Todos os apartamentos e as casas que tivemos ao longo da nossa vida de casados estavam, com riquezas de detalhes, no mural.

Vou contar aqui apenas a nossa última conquista vinda do mural. Havia dois anos, tínhamos colocado no nosso mural uma casa na Flórida, onde amamos passar nossas férias em família. Colocamos no mural uma casa linda na beira de um lago/canal, com piscina e muitos quartos para receber a família. No texto sobre a imagem da casa no mural,

> **Estamos falando do que você vai buscar viver em sua vida.**

escrevemos "DEZ./2019". Sempre que fazíamos a visualização da casa, o Paulo dizia que queria nessa casa um píer para colocar uma lancha, tapetes tão macios nos quartos que seu pé afundasse ao pisar, que tivesse uma sala para assistir a filmes como em um cinema e que ele pudesse colocar duas estátuas de lindos leões na entrada da residência, representando o Leão da Tribo de Judá. Esses eram os detalhes sonhados pelo Paulo. Eu concordava com tudo que ele queria e completava o sonho dizendo que gostaria que essa casa pertencesse a um condomínio bastante seguro, com pista de corrida e local para meus filhos andarem de bicicleta. Eu ainda dizia o bairro em que gostaria que estivesse localizada. Veja que, além da imagem colocada no mural, enchemos nossa mente com detalhes que eram importantes para nós. Se é para sonhar, vamos caprichar nos detalhes.

Durante uma viagem para Orlando, dedicamos uma tarde para olhar algumas casas e conseguimos visitar quatro. Todas lindas, mas nenhuma tinha aquecido nosso coração. No fim da visita, agradecemos ao corretor e dissemos que continuaríamos nossa busca em outra oportunidade. Então, ele perguntou se nós daríamos uma nova chance para ele nos mostrar mais uma casa na manhã seguinte antes de voltarmos para o Brasil. Dissemos que sim, mas que ele tinha que ser rápido, pois seria nosso último dia de viagem. E você não acredita no que nós vimos naquela manhã: a casa dos sonhos com todos os detalhes de nossas visualizações do mural. Tapete em que o pé afundava, sala de cinema toda montada, o lago com píer para lancha, o bairro que amo, a pista de corrida – e, para não faltar nenhum detalhe, as duas estátuas dos leões já estavam na porta da frente de casa. Ah, não posso deixar de mencionar mais um detalhe: recebemos as chaves da casa no dia 3 de dezembro de 2019. Do jeitinho que estava escrito no mural. Simplesmente sobrenatural!

É assim que funciona quando criamos uma visão positiva de futuro da forma correta. Nossa mente, nossa energia, nosso foco e Deus passam a trabalhar a nosso favor. É nesse mundo que quero convidá-lo a entrar. Não importa o que você tem vivido. Não importa o que fez ou deixou de fazer na sua vida. Como já falei, tudo isso é apenas 10%. Você só precisa olhar para seus resultados se perguntando o que deve aprender e onde precisa mudar. Temos em nós algo chamado resiliência e somos capazes de ressurgir das cinzas. Tenho dentro de mim – e você tem dentro de si também – a força necessária para reescrever qualquer história e para aprender com o que vivi, mudar meus comportamentos, minha comunicação e minha mentalidade, gerando novos resultados em todas as áreas da vida.

Mas cuidado! Quero chamar atenção para uma grande armadilha. O mundo tenta nos convencer de que os bons resultados são suficientes e diz que o bom já é mais do que a maioria das pessoas possui. Frases como "Se melhorar estraga", "Sorte no jogo e azar no amor", "Está tudo indo como Deus quer", entre outras do mesmo gênero, falam dessa mentalidade em que o bom e o medíocre bastam. Encerro este capítulo afirmando que Deus lhe prometeu uma vida em abundância. Abundância não é apenas o bom, abundância é o extraordinário. Se você se conformar com o bom, nunca viverá o extraordinário. Você é muito mais do que seus resultados até aqui.

2

ONDE FOI QUE EU ME PERDI

Se eu e você nascemos perfeitos, à imagem do nosso Criador, se Deus nos planejou, nos conhece pelo nome e colocou em nós características únicas e perfeitas para vivermos uma vida abundante – e, ainda assim, cumprirmos nosso propósito, um propósito escolhido por Ele para nossa vida –, onde foi que nós nos perdemos? Onde foi que você se perdeu no seu casamento? Onde foi que você se perdeu no relacionamento com seus filhos? Onde foi que você se perdeu para não ter hoje uma vida financeira abundante? Onde foi que você se perdeu para não se sentir pleno e realizado com sua carreira profissional? Onde foi que você se perdeu e trouxe para sua vida ansiedade, depressão, angústia, medo e culpa?

A chave para responder a essas perguntas está nas nossas memórias. Todos os acontecimentos que vivemos desde o momento da nossa gestação até hoje produziram e estão produzindo em nós memórias. Cada abraço, cada olhar, cada palavra e até mesmo os momentos de solidão e abandono produziram memórias em mim e em você. Tudo o que vivemos nos trouxe aprendizados que foram registrados em nossa mente em forma de memórias. Essas memórias, ou registros, de tudo o que aconteceu em nosso passado influenciam a forma como nós nos vemos hoje e os resultados que temos em várias áreas de nossa vida. Imagine uma criança que traz consigo registros de um pai abusivo e de uma mãe ausente em carinho e afeto (e, ainda por cima, alcoólatra). Essas memórias de dor estão registradas nessa criança em forma de sentimentos como abandono, medo, insegurança e desamor. E, associados às memórias e aos sentimentos, temos os significados que essa criança deu emocionalmente a tudo que ela viveu. É provável que essa criança tenha entendido que não tinha valor e que não era amada, pois, se fosse importante, seu pai não a trataria com abusos e sua mãe a protegeria do pai e cuidaria dela com carinho e amor.

Temos milhares de memórias em nossa vida. Existem as memórias conscientes, das quais nos lembramos com clareza; o que vimos, o que ouvimos, o que vivemos em detalhes, como estávamos vestidos e o que foi dito. Em algumas memórias conscientes, nós lembramos até o cheiro do lugar. Outras memórias existem em nós de modo inconsciente. São acontecimentos que vivemos, mas que não conseguimos lembrar com facilidade, pois estão tão escondidos em nossa mente que precisamos de muito esforço para recordar. A questão é que nosso cérebro tem um registro de todas as nossas memórias e para cada uma delas temos um significado e um sentimento associados. Vou mostrar como funciona.

Quando eu era criança, meu pai tinha o hábito de trazer um presentinho para mim e para meus irmãos sempre que voltava do trabalho no fim do dia. Eu chamava esse presentinho de besteirinha, pois não era nada que custasse muito dinheiro. Podia ser um livro de colorir comprado em uma banca de revista em frente ao banco onde ele trabalhava, ou um chocolate, chicletes, um lápis bonito ou uma borracha perfumada. Eram essas as besteirinhas que ele trazia para nós. Essa memória sempre foi muito clara para mim e automaticamente meu cérebro a associava ao significado de que meu pai me amava, de que eu fazia parte da sua vida, de que era importante para ele, de que ele pensava em mim enquanto estava fora de casa. Por causa desses significados, minha mente colocava nessas memórias sentimentos maravilhosos de amor, de segurança e, principalmente, de ser importante para o meu pai. Assim, o que antes seria apenas um registro sensorial daquele momento tão bom foi acrescido também de significados e de sentimentos. Dessa maneira, minha memória estava completa e pôde virar um aprendizado para a minha vida, pronto para produzir em mim ações e reações. Agora eu tinha mais um fundamento da pessoa que estava me tornando, produzido pelos acontecimentos e suas memórias completas. Está claro para mim que, com esse padrão de memórias em que me sentia amada e importante, me tornei uma mulher segura, forte, decidida e capaz de grandes realizações.

Vou contar outra história. Durante anos, senti muita angústia ao entardecer. Não conseguia entender o motivo. O sol começava a se pôr e eu sentia um nó no estômago, como se algo ruim fosse acontecer. Algumas vezes, as minhas mãos ficavam suadas, como se eu estivesse com medo. Convivi com esse sentimento por muito tempo e não conseguia entender sua origem. Ao longo do processo intenso que vivi em busca da pessoa que Deus me fez para ser, em um exercício de uma sessão de coaching, minha coach Margô me fez acessar, através de uma ferramenta, uma memória da qual eu não tinha consciência, mas que estava impressa em mim e que interferia todos os dias na minha vida e nas minhas emoções. Recordei um episódio, quando eu tinha aproximadamente 6 anos, em que fiquei sozinha na escola enquanto esperava meus pais virem me buscar. Eu estudava à tarde. Lembrei-me de estar sentada sozinha num cantinho da sala de aula, vendo todos os outros pais buscando seus filhos. Lembrei-me da minha professora se despedindo de mim e me deixando com uma auxiliar da escola que eu não conhecia. Minha professora me olhou e disse que já estava muito tarde e que ela precisava ir embora, mas que eu ficasse quietinha perto da jovem auxiliar até aparecer alguém para me buscar. Meu medo ia aumentando à medida que a escola ia ficando cada vez mais vazia e a noite chegava.

Naquele exercício, acessei com muita clareza minha memória do que aconteceu naquele dia. Eu me vi amedrontada, insegura, solitária, sentada num cantinho no fundo da sala e segurando meu material escolar. Naquele dia, à medida que o tempo passava, eu ia tendo a certeza de que tinha sido esquecida pelos meus pais. Estava aí a origem da angústia que vivi anos a fio sempre que chegava o entardecer. E o mais incrível é que eu não me lembrava de modo consciente, mas essa memória, o significado que meu cérebro deu a ela e os sentimentos que associou causaram dor em mim até a fase adulta. Essa memória guardou o significado de que, no fim do dia, coisas ruins podem acontecer, de que posso ser esquecida e ficar sozinha sem as pessoas que amo e que me protegem. Esse significado gerou a crença de que eu não era tão importante assim, senão não me deixariam lá sozinha. O mesmo sentimento que vivenciei aos 6 anos se repetiu em quase todos os fins de tarde da minha vida, sem eu ter consciência dos motivos. Claro que meus pais não me esqueceram. Com certeza, tiveram um motivo grande o suficiente para terem se atrasado tanto naquele dia.

Como adulta, posso justificar racionalmente o que aconteceu, explicar o quanto eles sempre foram pais maravilhosos e que jamais se esqueceriam de mim. Mas não funcionamos apenas no campo racional; somos emocionais também. A dor foi causada na perspectiva infantil, em que não existia entendimento, racionalidade nem a capacidade para explicar e justificar. E, por mais que eu negasse, as consequências estavam em minha vida e é isso o que importa.

Nós aprendemos de duas maneiras. Pela repetição ou pela intensidade. Tudo o que ouvimos, vimos e sentimos produziu em nós memórias, e essas memórias estão cheias de significados e sentimentos. Esses registros do que vivemos uma ou repetidas vezes, e seu impacto emocional, formaram nossas crenças. Os resultados que temos hoje em nossa vida estão ligados às nossas crenças, que dizem se somos alguém de valor ou não, definem se somos capazes de realizar grandes coisas na vida ou reforçam que somos fracos, inferiores e incapazes. Logo, são as nossas crenças que determinam se teremos uma vida abundante e saberemos usufruí-la ou não.

Nossas experiências produzem aprendizados para nós. A intensidade das manifestações de sentimentos do passado durante nossa vida adulta depende do número de vezes em que vivemos situações que produziram em nós os mesmos significados e sentimentos, ou seja, depende da repetição. Também depende se a memória foi registrada em nós por algo que aconteceu apenas uma vez e do seu nível do impacto emocional. Vou contar mais uma história sobre a minha vida para mostrar como isso acontece na nossa mente.

Em 1999, ano do meu casamento, meu pai sofreu um grave acidente, caindo de uma laje de aproximadamente 4 metros de altura. Ele fraturou o quadril em várias partes, perfurou a bexiga, teve hemorragia interna e ficou internado por vinte e dois dias em um hospital para onde as principais vítimas dos acidentes mais graves da cidade são encaminhadas. Nesses dias em que estive naquele hospital acompanhando meu pai, vivi muitos momentos de tristeza, de medo de perdê-lo e de angústia por ver sua dor. Isso sem falar nas cenas terríveis que vi de pessoas baleadas que chegavam ao hospital e de vítimas de acidentes graves de moto, entre outros casos que nem vale a pena mencionar. Foram apenas vinte e dois dias de internação, uma única vez na minha vida, mas foram o suficiente para produzir fortes memórias, cheias de significados e sentimentos, a ponto de, ainda por muitos anos, acelerarem meu coração e me angustiarem profundamente sempre que eu passava de carro pela rua que levava ao hospital. Eu desviava o caminho quando precisava ir a algum lugar próximo ao hospital onde meu pai esteve. Ou seja, minha mente passou a associar a localização geográfica do hospital ao sentimento de ameaça e medo. Bastava eu entrar naquela rua e minha mente trazia todos os sentimentos ruins ancorados a essa experiência do passado.

As experiências que vivemos criam nossas memórias. O que determina se uma experiência é boa ou ruim não é necessariamente o que nos acontece, mas, sim, o significado que damos emocionalmente ao acontecimento. Tudo que vimos, ouvimos e sentimos, seja de maneira real, seja imaginária, se transforma, ao longo da vida, em memórias armazenadas em nossa mente. E cada memória traz em si significados e sentimentos que compõem nossas crenças e nossos aprendizados.

Durante vinte e três anos de experiência como coach, mais de onze mil horas atendendo a clientes de coaching individual, levando pessoas a atingir seus grandes objetivos e performar em todas as áreas da vida, meu esposo, Paulo, desenvolveu o que chamou de Teoria Geral das Memórias. Essa teoria demonstra que os resultados que temos hoje em todas as áreas de nossa vida são gerados pelas memórias que temos das nossas experiências do passado. Ser casado ou divorciado hoje, ter muito dinheiro no banco ou viver com muita dificuldade financeira, ser uma pessoa emocionalmente forte e que realiza grandes coisas ou alguém que está sempre se sentindo inferior e incapaz (que realiza muito ou que sabe o que fazer, mas sempre posterga), tudo isso se deve às suas crenças sobre quem você é, o que está capacitado para realizar e o quanto acredita que merece de bom da vida. Essas crenças foram formadas pelas suas experiências do passado, o significado que você deu emocionalmente para essas experiências e o sentimento que associou a essas memórias.

De acordo com a Teoria Geral das Memórias, existem sete padrões de memórias que são fundamentais para termos crenças fortes e saudáveis sobre nós mesmos. Quanto maior o número de experiências positivas sobre esses tipos de memória, mais eu terei uma vida plena em todas as áreas.

Dos sete tipos de memória, existem quatro que são a base da formação da nossa estrutura emocional.

Vou explicar a seguir como essas memórias prioritárias se formam.

1. Memórias de pertencimento

Para termos saúde física e mental, precisamos ter memórias de experiências em que nos sentimos pertencentes a um grupo em todas as fases da nossa vida. Quando bebês, precisamos saber que pertencemos ao papai e à mamãe, pois assim nos sentimos seguros, protegidos e amados. Então, crescemos um pouco mais e precisamos saber que, além de fazer parte da família com papai e mamãe, pertencemos ao grupo de amigos da escola e somos aceitos, admirados e respeitados. Essa necessidade segue pela nossa juventude, quando entramos na faculdade e escolhemos a turma da qual desejamos fazer parte e fazemos o possível para ser aceitos por esse grupo de pessoas. Na fase adulta e na velhice, continuamos precisando saber que pertencemos à nossa família, ao nosso grupo de amigos e à comunidade da igreja ou ao grupo de pessoas do condomínio. Quanto maior o número de experiências nós vivenciarmos com convicção de que pertencemos aos grupos sociais que passaram pela nossa história, mais saudável seremos.

Esse sentimento de pertencimento ao longo da vida produz um senso de segurança, fundamental para formação das crenças não só de identidade como de merecimento. Mais à frente, você vai entender como as minhas experiências de pertencimento – ou melhor, a falta delas – causaram tanta disfunção na minha crença de identidade.

O que determina se uma **experiência** é boa ou ruim não é necessariamente o que nos acontece, mas, sim, o **significado** que damos emocionalmente ao acontecimento.

2. Memórias de importância

Todos nós precisamos nos sentir importantes. E acredito que nada seja mais significativo para alguém do que se sentir valorizado e reconhecido. E isso só acontece quando vivemos experiências em que as pessoas ao nosso redor nos valorizam e demonstram reconhecimento com atos, palavras e ação. Veja que usei a expressão "precisamos nos sentir" porque estou falando do sentimento produzido pelas nossas experiências e guardado de maneira vívida em nossas memórias. Quando recebemos atenção, somos ouvidos e respeitados; quando temos nossas necessidades atendidas, nós nos sentimos importantes.

Certa vez, lendo uma matéria jornalística, soube de um trabalhador norte-americano que doou para a filantropia toda a sua aposentadoria de um milhão de dólares acumulada durante cinquenta e cinco anos de trabalho árduo. Quando perguntaram por que havia feito essa doação tão alta, ele respondeu que precisava se sentir importante pelo menos uma vez na vida. Ele não estava preocupado com a causa ou com as pessoas que seriam ajudadas, simplesmente queria ser importante, nem que isso custasse todo o seu patrimônio.

Se a presença de afeto, palavras de afirmação, cuidado, paciência e respeito geram essas experiências de importância em nós, imagine o que críticas severas, gritos, acusações, invalidações e muita impaciência provocam em nossas memórias. Ao longo deste livro, vou compartilhar minha história e o caminho percorrido para chegar até aqui e como as minhas experiências de infância interferiram na formação da minha criação de identidade.

Não custa reforçar a ideia de que nossas crenças não foram formadas apenas pelas experiências das quais nos lembramos. Tudo o que aconteceu em sua vida, todas as experiências, foram registrados no seu cérebro e traduzidos em sentimentos e significados. Quando somos bebês e choramos, é comum papai e mamãe correrem para ver se estamos bem, se temos fome ou se a fralda está suja, o que faz que nos sintamos importantes e amados. Então, crescemos mais um pouquinho e descobrimos que, sempre que fazemos gracinhas, todos os adultos acham lindo e nos enchem de mimos e carinhos. Em todas as etapas da nossa vida precisamos receber atos de amor, de atenção e de cuidado, principalmente das pessoas que são preciosas para nós. Assim, crescemos nos sentindo importantes. Entramos na fase escolar e, quando recebemos atenção da professora às nossas demandas, nos sentimos importantes. Vamos precisar para sempre desse sentimento produzido pelas nossas conexões com as pessoas da nossa vida.

Quando nossa primeira filha fez 1 aninho, nós preparamos uma festa linda. Passei meses planejando o tema, a decoração, o bolo, as músicas e todos os detalhes da festa. Chamamos todas as pessoas que amamos e que curtiram o nascimento da Júlia para celebrar conosco. E a coisa mais bonita foi ver a Júlia entrar na sua festa andando sozinha e ficar completamente encantada com tudo o que via. Ela olhava para cada detalhe da decoração e, com um largo sorriso no rosto, literalmente, sapateava de alegria, pois sabia que tudo aquilo era só para ela. Todos que chegavam à festa diziam para ela como estava linda, como a festa estava bonita. E ela entendia e se alegrava. Minha filha brincou até o fim e foi a última pessoa a deixar o buffet, ficando sem o vestido e só de fraldas, muito suada de tanto pular na cama elástica.

Por que eu estou contando isso? Depois da festa da Júlia, vários amigos vieram nos perguntar se nós achávamos que eles deviam celebrar com uma festa o primeiro ano dos seus filhos. Esses pais alegavam que a criança ainda era um bebê e que não ia aproveitar e muito menos se lembrar da comemoração quando crescesse. O que essas pessoas não entendiam é que a experiência emocional da festa é eterna. A experiência da Júlia na sua festa a encheu de memórias de que ela é importante, amada e merecedora de coisas muito boas na vida. Cognitivamente ela pode até não recordar, mas tudo isso foi impresso nas suas crenças e vai gerar frutos. O mesmo fizemos com o Mateus e o Daniel. Eles curtiram cada momento da celebração, amam ver o vídeo e as fotos e as memórias estão lá, fortalecendo dentro deles a percepção de quanto são amados, especiais e muito importantes para nós, sua família.

Não estamos falando de festas grandes ou pequenas, estamos falando da experiência que a criança vive de ter as pessoas que ela ama celebrando a sua vida. Cantando parabéns, trazendo presentes, dizendo que a criança é linda. Enfim, produzindo memórias de importância de que nós tanto precisamos para sermos felizes.

3. Memórias de conexão em amor

As memórias de conexão em amor são construídas nos nossos relacionamentos interpessoais. Quando um indivíduo especificamente, não um grupo, dedica tempo para comunicar amor, carinho, cuidado, atenção a nós. Estamos falando da conexão entre duas pessoas, quando nos sentimos amados por aquele alguém que está dedicado a nós.

Essas memórias de conexão em amor são formadas quando uma mãe olha nos olhos do filho sem pressa e dá atenção total ao que ele está falando, quando um pai chega do trabalho, esquece a televisão e o celular e vai jogar bola com seu filho ou montar junto um quebra-cabeça, quando o irmão mais velho ensina matemática com paciência e amor para o irmão mais novo que está com dificuldade na tarefa de casa, quando a esposa interrompe tudo o que estava fazendo para sentar ao lado do esposo no sofá, fazer-lhe um carinho e perguntar como foi seu dia. Quando a mãe coloca seu bebê para dormir, não como quem cumpre uma obrigação, mas demonstrando afeto, ternura, cantando uma canção e fazendo o bebê se sentir a única pessoa do mundo na sua vida naquele momento.

Quanto mais pessoas conectadas em amor no mesmo ambiente familiar, melhor fica a atmosfera, além de mais propícia para que as interações aumentem e se fortaleçam, fortificando também os vínculos entres essas pessoas.

Quanto mais temos memórias de experiências de conexão em amor, mais forte é a nossa identidade, mais clara é a convicção do nosso valor próprio, maior é o nosso nível de merecimento quando estamos inseridos em outros grupos sociais e mais seguros e plenos nos sentimos. A nossa capacidade de nos conectarmos em amor com as pessoas que vão aparecer na nossa vida é expandida quando essas memórias são fortes em nós.

Atenção apenas para um ponto muito importante, leitor. As experiências que formam as memórias de conexão em amor estão ligadas a como nós agimos, e não ao simples fato de executarmos as tarefas. Imagine a cena de uma mãe dando banho na sua criança. Essa mãe deixa um vídeo de seu interesse passando no celular e chama a criança para o chuveiro com impaciência. Dá o banho da sua filha com pressa, murmurando que está cansada e que a criança não para quieta, cobre a filha com a toalha com rispidez, seca-a rapidamente, aos solavancos, e respira aliviada quando termina a tarefa. Pega o celular que ficou transmitindo o vídeo durante todo o banho e sai do quarto deixando a criança lá. Agora, imagine a cena de uma mãe pegando a sua criança no colo com carinho e a convidando para uma aventura no chuveiro. Ela não tem celular na mão nem TV ligada, está conectada com a missão de dar o banho da sua filha. Enquanto ensaboa a menina, as duas conversam e brincam juntas, depois a mãe enxuga a criança com suavidade, penteia seus cabelos e a enche de beijinhos, dizendo que ela agora está limpa e linda, pronta para brincar.

Percebeu que a questão está na maneira como fazemos o que precisa ser feito? As duas mães cumpriram a tarefa de dar banho na filha, mas uma a executou comunicando para a sua filha que ela era um peso, que a cansava e que dava trabalho. O vídeo no celular e as outras tarefas eram mais importantes, por isso essa mãe precisava dar o banho muito rápido. Essa experiência certamente gerou nessa criança uma memória de desamor e menos-valia. Isso sem falar no possível sentimento de culpa por se ver como um peso para a própria mãe. Quanto maior o número de experiências como essa do banho ao longo da infância – seja na hora de dormir, comer ou fazer as lições da escola –, mais a identidade dessa criança vai sendo atacada, destruída, reforçando a ideia de que ela tem pouco valor e é pouco importante na vida das pessoas que mais ama (seus pais ou quem a cria), ou seja, de que ela é pouco amada.

E você? Quais foram suas memórias de conexão em amor ao longo da sua vida? Quais as experiências que você mais viveu? Eram experiências de conexão em amor, em que você se sentia amado e importante para as pessoas que faziam parte da sua vida? Ou será que as memórias mais vivas em você foram de isolamento, desamor, abandono e solidão?

Ter a consciência dessas memórias é fundamental para começar a entender onde você se perdeu na sua história.

4. Memórias de autorresponsabilidade e limite

Muitas mães e pais temem perder o amor do filho, por isso não conseguem impor o limite necessário à sua educação. Alguns carregam no coração a culpa por trabalhar muito e acabam não usando o tempo que estão com os filhos para educar. Eles acreditam que estão em dívida com as crianças, portanto se omitem do seu papel de educar e dar limites. Outras vezes os pais não colocam limites nos filhos não por se sentirem culpados, mas por possuírem traumas (memórias) da rigidez com que foram educados quando eram crianças, não conseguindo, assim, submeter os filhos a nenhum tipo de disciplina. Ou estão tão cansados das atividades do dia a dia que, quando chegam em casa, preferem a zona de conforto de não ter que educar, afinal, educar exige muita dedicação.

A questão é que todos nós precisamos de limites, e precisamos de limites ao longo de nossa vida, não só na infância. Quando faz algo errado e seus pais não a disciplinam, a criança começa a perder a consciência do que é certo e do que é errado. Ela cresce sem saber que suas escolhas e suas atitudes têm consequências. E, quando não recebe a correção adequada aos seus atos, sente-se insegura e desamparada.

O princípio que diz que nós somos responsáveis pelos nossos resultados precisa ser ensinado desde muito cedo. Lembro que nossa primeira filha, quando tinha 1 aninho, saiu correndo e bateu a perninha no canto de uma mesa que tinha na sala da casa da minha mãe. Na mesma hora em que ela começou a chorar, a babá foi pegar a Júlia no colo, olhou para a mesa e disse: "Mesa chata! Machucou a nenê". Ao ouvir aquilo, interviemos dizendo que a mesa não era chata, que estava lá paradinha, e mostramos para a Júlia que era ela que precisava tomar cuidado, pois a mesa sempre estaria lá. Dissemos à Júlia, ainda um bebê, que era ela quem precisava ficar atenta e desviar da mesa para não se machucar. Vivemos cenas como essa com nossos três filhos inúmeras vezes, e repetimos sem parar que eles são os responsáveis pelos seus resultados; por isso, precisavam agir da forma certa.

Sem experiências relevantes na infância para criar o senso de autorresponsabilidade, é muito provável que, na

A questão é que entender que você é o único **responsável** pelos resultados na sua vida é **libertador.**

fase adulta, você tenha muita dificuldade de entender que seus resultados atuais são sua responsabilidade. A qualidade do seu casamento ou o dinheiro que você tem no banco – seja muito, seja pouco – também são de sua única responsabilidade. Sua forma física, se está com todas as taxas de gordura e açúcar no sangue sob controle e com ótima disposição ou à beira de um problema grave de saúde, isso tudo também é responsabilidade só sua.

A questão é que entender que você é o único responsável pelos resultados na sua vida é libertador. Sabe por quê? Porque significa que só depende de você transformar as coisas à sua volta. Então, se na sua infância não houve experiências em que lhe deram limites e em que colheu as consequências dos seus erros, é possível que hoje você tenha resistência em aceitar regras, sinta-se desconfortável quando precisa se submeter a alguma autoridade e liderança e esteja sempre procurando um culpado para o que não está como você gostaria. Esse culpado é seu cônjuge, seus pais ou até mesmo o governo do seu país. Todos, menos você.

Antes de concluir a explicação sobre a importância das memórias de autorresponsabilidade e limites, quero chamar sua atenção para a maneira como essas experiências podem ter acontecido na sua vida. É possível que você tenha vivido situações em que foi, sim, muito responsabilizado pelas suas atitudes, porém da forma errada. E essa forma errada pode ter sido devastadora para sua identidade.

Quando uma criança ou um jovem comete uma falha e, ao invés de lhe exortar com amor, paciência e sabedoria, seus pais gritam, batem, usam castigos exagerados, xingamentos que atacam sua identidade ("menino burro", "menina inútil", "sempre faz tudo errado", "não serve para nada"), isso acaba gerando no indivíduo uma necessidade de esconder suas falhas, negar seus erros, mentir, dissimular, manipular, seguindo a vida com esse padrão em vez de aprender a se responsabilizar pelos próprios erros. Assim, nunca olha para o que fez de errado nem reconhece que precisa aprender e mudar. Tudo isso para fugir da culpa e da rejeição vividas no passado. E sabe o que isso significa? Que uma pessoa assim não muda nunca, afinal, não erra.

Olhe um pouquinho para sua história. Você se classificaria como alguém que viveu muitas experiências que o ensinaram a se responsabilizar pelo que você fazia de errado e que isso sempre foi feito com respeito e amor pelos seus pais e pessoas que possuíam autoridade sobre você? Ou será que você ouviu muito poucos nãos e sempre teve alguém para justificar seus erros e minimizar suas consequências? Existe ainda a possibilidade de você ter vivido muitas experiências em que foi acusado e punido com severidade, ouviu palavras que o desvalorizaram e o faziam se sentir inferior, inadequado, incapaz e não merecedor. Qual foi a sua história? Quais foram as suas experiências? Lembrando que quanto maior o número de repetições, mais forte o impacto dessas memórias nas suas crenças sobre si mesmo.

Você agora já conhece os quatro tipos de memória, já sabe que as experiências produzem essas memórias em nós e o quanto precisamos ter essas memórias durante a nossa vida. Quanto maior o número de experiências positivas tiver vivido até aqui, mais memórias de importância existirão em você, e memórias de pertencimento, memórias de conexão em amor, e memórias de autorresponsabilidade. O inverso também é real. A intensidade e o número de repetições das experiências negativas vividas produziram em você uma percepção distorcida da sua crença de identidade. Essa distorção do seu valor tem interferido de várias formas nos seus resultados atuais. Sabe por que isso acontece? Porque uma pessoa que não se sente boa o bastante usa muitas máscaras para se proteger da crítica, da invalidação, do abandono, da rejeição e de todas as outras dores que já viveu nas suas experiências do passado.

Talvez você se sinta inadequado em alguns ambientes, sempre se vendo como alguém inferior, não merecedor de determinado relacionamento ou ambiente. Pode ser que você tenha muita dificuldade em enfrentar os desafios da vida, sempre procrastinando o que sabe que precisa ser feito e inventando desculpas para justificar sua falta de atitude. É possível que você manifeste o fato de não saber seu real valor com atitudes de vitimização – em que sempre se coloca como vítima da vida, do marido, da esposa, do trabalho, do mundo –, eximindo-se, assim, de mudar. Afinal, a responsabilidade pelo seu fracasso ou seu sofrimento é sempre de outras pessoas, menos sua.

Existe também a possibilidade de você ter se transformado em alguém megarrealizador, supereficiente, uma máquina de produzir, sempre correndo de um lado para o outro, fazendo mil coisas ao mesmo tempo para provar para tudo e para todos que é muito bom e tem valor. Ou seja, por ter alto desempenho, você acaba se escondendo atrás do sucesso de algumas áreas da vida, como a financeira ou a profissional, e não percebe ou não quer ver que está destruindo seu casamento, dedicando pouco tempo aos seus filhos e adoecendo por essa busca louca por provar que é muito bom. Então, pergunto: em nome de quê? O que pode justificar esse esforço todo para ser reconhecido e acabar destruindo outras áreas tão importantes da sua vida?

Importante você saber que tanto aquele que se vitimiza e não realiza nada como aquele que realiza muito, porém com o propósito errado, estão manifestando suas fraturas emocionais. Ambos estão deixando claro que vivem disfunções por terem se perdido no meio do caminho e não terem convicção emocional do seu verdadeiro valor. E tudo isso nasce nas memórias, nos sentimentos e nos significados que dão emocionalmente às vivências.

E você? Quem você vem sendo ao longo desta vida? Em que áreas tem deixado de fazer o que precisa ser feito? Onde está paralisado pela procrastinação? Ou será que, assim como eu fazia, você vive acelerado, fazendo muitas coisas, produzindo muito, obtendo sucesso em algumas áreas, mas colocando outras em risco por não se dedicar como devia? Onde foi que você se perdeu da identidade que Deus lhe deu?

Comigo não foi diferente. Também me perdi ao longo da vida. Até poucos anos atrás, eu vivia perdida e sem entender o meu valor. A minha identidade perfeita estava tão escondida atrás das minhas experiências e memórias do passado que foi necessário um árduo processo de resgate para eu me conectar novamente com quem nasci para ser. Pelas minhas memórias, pelo significado que dei para tudo que vivi, principalmente na infância e na juventude, eu precisava desesperadamente me sentir valorizada e amada, precisava de reconhecimento, e usei essa necessidade como o combustível dos meus resultados. Eu me escondia atrás das ótimas notas escolares, da fama de filha maravilhosa, da jovem perfeitinha, da profissional brilhante desde muito jovem, da empresária bem-sucedida, da esposa de um grande homem de sucesso e de todos os rótulos que me eram atribuídos e que escondiam dos outros e de mim mesma quem de fato eu vinha sendo. Meus excelentes resultados em quase todas as áreas camuflavam tudo que eu precisava mudar em mim. E reconhecer isso foi um grande e doloroso desafio.

Para entrar nessa jornada de conexão com a sua identidade original, dada por Deus, e viver a vida e o propósito que nasceu para viver, você tem de olhar para sua vida atual com verdade, coragem e humildade. Você vai precisar da verdade para calar as historinhas que contou até hoje sobre si mesmo e sobre seus resultados, vai precisar de coragem para ver os fatos como são, e da humildade para reconhecer tudo que precisa ser mudado. Esse é o primeiro passo. Não existe transformação sem a plena consciência de como está a sua vida hoje e sem reconhecer tudo que foi vivido até aqui. Não se apaga o passado. Passado serve para nos ensinar e para nos ajudar a agir na direção certa e construir uma nova história.

Olhar os fatos com verdade é libertador. Esse não é um convite para achar culpados para as suas dores, muito pelo contrário. Você vai terminar a leitura deste livro olhando com muito amor e com honra para todas as pessoas que passaram pela sua vida e, principalmente, para quem lhe deu a vida.

É muito provável que a jornada de olhar para sua história, de olhar para os sentimentos que marcaram cada experiência e reconhecer os seus efeitos na sua vida hoje cause dor, muita dor. Mas quero lembrar que você já vive essa dor por não passar por esse processo de mudança. Você já sente a dor por não saber seu verdadeiro valor, por não se sentir capaz ou merecedor de uma vida feliz e plena. A dor de um casamento tumultuado ou de não conseguir ter um relacionamento já existe. Você já vive a dor de não conseguir ter uma vida financeira próspera, de não saber ganhar dinheiro ou de ganhar e logo perder tudo. E vive há tanto tempo todas as outras dores que existem na sua vida que até acredita que fazem parte de você. Ou, quem sabe, acredita que não há vida sem elas. Mas essas são as dores por não viver o processo de reconhecimento e mudança. Então, neste fim de capítulo, convido-o a se agarrar com a verdade, com a coragem e com a humildade e decidir entrar de cabeça nesse processo que vai levá-lo ao grande encontro com a pessoa que Deus o fez para ser. O encontro com sua identidade perfeita.

Você aceita meu convite?

Eu, _____**, aceito embarcar nesta jornada de amor e autoconhecimento ao lado de Camila Saraiva Vieira para encontrar minha verdadeira identidade.**

_____

(assine aqui)

3

REJEIÇÃO, A MAIOR DE TODAS AS DORES

Lembro-me da primeira vez que este assunto apareceu para mim... Eu o ignorei. Tinha absoluta certeza de que ele não era para mim. Neguei tanto que nem sequer me dei ao trabalho de refletir sobre o tema. Mas acredite: Deus não abriu mão de me mostrar a verdade e continuou me cercando até que eu percebesse o quanto a rejeição fazia parte da minha vida e o quanto ela estava destruindo tudo que eu tinha de mais precioso. Trataremos da rejeição neste capítulo para que eu mostre a você como isso também pode estar impedindo sua evolução rumo à sua verdadeira identidade.

Vamos pelo início!

Tudo o que somos no presente diz respeito às experiências que vivemos em nosso passado, e não seria diferente para mim, claro. Assim, a melhor maneira de começarmos é partindo das experiências que eu vivi, principalmente na minha infância e adolescência. Sou a filha mais velha de uma família com três filhos.

Meu pai, um homem sensível e muito amoroso, é também muito inteligente. E minha mãe é uma mulher linda, cheia de alegria, divertida e sempre foi muito dedicada à nossa família. Mas estas não eram as únicas características deles. Havia também no meu pai muita permissividade, visto que ele esteve a maior parte do tempo ausente trabalhando, viajando ou se divertindo com seus amigos. Por muito tempo ele deixou de lado o papel de colocar limites, de educar e de dizer "não". Esse papel era responsabilidade única e exclusiva da minha mãe, que, por sua vez, era uma mulher muito dura em suas palavras, crítica, intolerante e muito impaciente.

REJEIÇÃO, A MAIOR DE TODAS AS DORES

E assim eu e meus irmãos fomos educados: em meio a uma dualidade de tratamentos. Diante de nossos erros e acertos, existiram sempre os dois extremos: de um lado, o nosso pai acobertando e minimizando as nossas ações; do outro, a nossa mãe hipervalorizando as falhas, acusando, comparando e invalidando.

Antes de seguirmos, entretanto, com os desdobramentos da minha história, é preciso apresentar as histórias de cada um para que você entenda o contexto. E é sobre elas que falaremos adiante.

A SUA HISTÓRIA É O SEU CONTEXTO

É claro que, assim como você e eu, eles também eram fruto e consequência das próprias experiências, o que facilita muito a compreensão quando olhamos para cada história individualmente.

A mãe do meu pai faleceu após dar à luz ele. Além disso, ele perdeu o pai aos 4 anos, passando a ser criado pela avó, que, por não ter condições financeiras para mantê-lo, o colocou em um seminário de padres, pois essa seria a única maneira de garantir sustento e uma educação de alto nível. Assim, é possível identificar que a carência emocional familiar o fez necessitar constantemente de amor e de aprovação. Logo, temos um pai que não conseguia ser firme com os filhos, por mais que tentasse.

Temos, por outro lado, a história da minha mãe. Proveniente de uma família matriarcal, em que a força feminina era predominante. A minha avó era uma mulher de temperamento muito forte, muito crítica e exigente. Já meu avô, um homem amoroso e trabalhador, era apaixonado pela minha mãe e sempre fazia todas as suas vontades. Ele era, porém, viciado em álcool e isso o levou à morte muito jovem, deixando minha mãe órfã de pai aos 12 anos.

Com a morte dele, veio também a falência financeira da família. Consequentemente, além de ter que vencer a dor da morte do próprio pai, minha mãe teve que abandonar um estilo de vida mais privilegiado e confortável para começar a trabalhar aos 16 anos a fim de sustentar a si mesma e ajudar a sua família.

Assim, convido você a refletir: é possível perceber agora como somos influenciados pelas nossas experiências do passado e pelas experiências vividas por quem está ao nosso lado? Somos invariavelmente influenciados por nossos contextos; nossos pais, pelas próprias experiências; já os nossos avós, pelo que também lhes foi passado; e assim por diante. Esse ciclo é infinito. E como o Paulo sempre diz no Método CIS©: "Somos vítimas de outras vítimas". Essa frase nunca fez tanto sentido.

Bem, agora que você entendeu um pouco mais sobre o ambiente em que eu vivi e sobre a história de quem me educou, quero compartilhar um pouco mais da minha história.

OS DIAS DE MUDANÇA

Em uma quarta-feira normal, meu pai chegou muito entusiasmado em casa e com uma novidade que chocaria a todos: ele, que na época era gerente de um banco, havia sido promovido a gerente-geral e precisaríamos nos mudar para Teresina a fim de acompanhá-lo nessa nova fase da sua carreira. Eu tinha 8 anos quando isso aconteceu. Sua felicidade era contagiante, ele não conseguia esconder o quanto estava feliz em dar a notícia à família toda. Sua alegria, contudo, foi confrontada com a tristeza e com a frustração da minha mãe.

Lembro-me dela chorando e dizendo que teria de abrir mão da própria vida, do convívio com seu único irmão, sobrinhos e outros familiares, e de seu negócio – ela administrava duas farmácias na época – para acompanhar o meu pai. O que representava uma alegria para ele era, na realidade, um sofrimento gigantesco para ela. Entre conversas e acordos, nos mudamos para Teresina um mês depois.

Chegamos à cidade e, no começo, a frustração dela só aumentava, transformando-se depois em depressão. Ela só chorava, reclamava, criticava e deixava muito claro para nós, filhos, que sua vida era um peso.

Nesse contexto é possível imaginar que, para uma mãe que já era exigente, impaciente e crítica, a situação transformou-se em tolerância zero. A sua dor era quase palpável e sentíamos muito durante a convivência.

Entre o declínio emocional da minha mãe, o meu pai passando pela fase de adaptação no novo emprego e os filhos tentando se adaptar a uma nova cidade, novos amigos, nova escola e uma nova vida, eu me vi perdida também em diversos momentos.

Moramos em Teresina por quatro anos e, por volta dos meus 11 anos, eu resolvi, emocionalmente carente, chamar a atenção para mim. E de qual maneira? Tirando notas baixas na escola. Esse comportamento não tinha nada a ver comigo, entretanto foi a estratégia inconsciente que encontrei para externalizar algo que não estava bem dentro de mim. Como resultado, eu recebi mais crítica, comparação, humilhação e indiferença.

Minha mãe, nesse meio-tempo, estava se recuperando e conseguiu um emprego de secretária-executiva em uma grande multinacional da cidade, fazendo os ares dentro da nossa casa mudarem drasticamente. Ela estava se reestabelecendo, voltando se encontrar em sua carreira, colocando sua vida emocional nos trilhos. Ela finalmente havia voltado a sorrir.

Foi uma alegria para todos e nossos dias e convivência melhoraram muito durante aquele período. A grande questão é que essa alegria durou pouco.

Em um novo dia comum, meu pai entrou em casa anunciando uma ótima novidade. Ele olhou para minha mãe e disse: "O que você tanto queria aconteceu!". Ele estava sendo transferido novamente para Fortaleza e precisaríamos retornar à nossa casa.

Tenho muito forte em meu coração a alegria que eu senti em ouvir aquela notícia, mas as memórias que ficaram mais fortes em mim, mais uma vez, foram as de indignação da minha mãe dizendo que, pela segunda vez, teria que abandonar a vida profissional dela para acompanhar os projetos do meu pai.

Ela repetia frases como: "Você está vendo o que acontece quando uma mulher depende de um homem? Aprenda! Não podemos depender de homem nenhum". Ou então: "Estude muito para ter sucesso profissional, pois assim nunca dependerá de ninguém", "Se eu tivesse estudado mais, eu não precisaria passar por isso", "É muita humilhação ter que pedir dinheiro ao seu pai até para ir à manicure", "Fique esperta! Nunca deixe nenhum homem mandar em você".

Essas foram algumas das frases mais marcantes que eu ouvi no meio de tantas outras. As que não foram ditas diretamente para mim foram ditas para outras pessoas e eu aprendi. Afinal de contas, você já sabe que tudo que vimos, ouvimos e sentimos de maneira repetida ou sob forte impacto emocional produz em nós uma memória, com significado e sentimentos associados a ela. E nossas memórias formam as nossas crenças, que, por sua vez, definem a nossa vida.

Atenção! Se você parar um instante e olhar para todas as áreas da sua vida com humildade e verdade, verá que os seus resultados estão diretamente ligados às suas crenças sobre cada uma das áreas. Tudo aquilo que você aprendeu ao longo da sua vida sobre casamento, dinheiro, criação de filhos, sucesso profissional, sua saúde e relacionamento com Deus formou crenças específicas a respeito de cada um desses temas. E você só vive aquilo em que você acredita.

Mas, voltando para a minha trajetória e para a formação das minhas crenças, algum tempo depois do anúncio do nosso retorno a Fortaleza, em janeiro de 1986, chegamos à nossa casa. Era uma nova mudança, uma cidade que havíamos deixado para trás, uma vida com a qual já não nos identificávamos e uma nova adaptação a ser feita... Estávamos mais uma vez em Fortaleza e uma nova fase se iniciava.

A PROMESSA QUE FIZ A MIM MESMA

Em um almoço familiar de domingo, na casa do meu tio, único irmão da minha mãe e alguém a quem amo muito, estávamos conversando sobre em qual escola meus pais nos colocariam para estudar. Assim, na frente de todos, olhei para minha mãe – quem sempre decidia tudo sobre nós – e pedi que ela nos matriculasse na escola em que estudavam as minhas primas, pois, em nosso retorno à cidade, elas seriam as únicas conhecidas no ambiente escolar.

Eu estava na adolescência e, nessa fase, a nossa necessidade de aceitação e de pertencimento é enorme. Então, entrar como novata em uma escola em que minhas primas já estavam seria um alívio para mim. Entretanto, a escola em que elas estudavam localizava-se a uma distância considerável de onde morávamos e, para chegar até lá, era preciso atravessar a cidade. Assim, quando fiz o pedido à minha mãe em frente de todos no almoço, ela respondeu dizendo que eu não merecia que ela percorresse um caminho tão longo para me levar à escola, pois eu não era uma boa estudante.

Naquele momento, senti muitas emoções juntas: vergonha, constrangimento, humilhação, raiva e muita injustiça. Meu tio estava ouvindo toda a conversa e, em um momento oportuno quando estávamos sozinhos na sala da casa dele, ele me perguntou se podia confiar em mim, se podia confiar que eu voltaria a ser uma ótima aluna e que, se fosse assim, ele compraria a briga com a minha mãe e a convenceria de me colocar na escola que eu havia pedido.

Ainda estava chateada e chorando pelo que tinha ouvido naquele momento, mas olhei nos olhos dele e fiz um juramento: mudaria a minha vida. Além de dizer que sim, que ele poderia confiar em mim, pois eu voltaria a

> **Finalizei dizendo que tudo o que eu fizesse a partir daquela data seria excelente. E eu cumpri a minha promessa.**

ser uma boa aluna, eu disse que, a partir daquele dia, nunca mais em minha vida eu seria criticada por meus resultados. Finalizei dizendo que tudo o que eu fizesse a partir daquela data seria excelente. E eu cumpri a minha promessa.

Imagine você: eu tinha apenas 12 anos, mas, a partir daquele juramento, passei a ser guiada pela busca desesperada de bons resultados. A combinação de todas aquelas memórias formou em mim crenças muito fortes, dentre as quais a de que, para ser amada, aceita, elogiada, não ser criticada, comparada ou humilhada, eu precisaria fazer **muito** e apresentar resultados excelentes. Por vários anos, acreditei que essa seria a receita para o fim de todas as minhas dores.

E assim eu vivi anos e anos, cumprindo a missão de ser uma aluna muito boa, de estar sempre entre as melhores da turma, de ser uma amiga muito legal, de nunca dizer não para ninguém, de ser uma universitária exemplar, de só dizer o que as pessoas queriam ouvir, de buscar incessantemente excelentes resultados profissionais desde muito cedo e a todo custo atender a todas as expectativas dos meus pais e de todos ao meu redor. E, é claro, fazer isso custe o que custar.

Você pode até estar pensando que aquela promessa e as consequências dela foram muito boas para minha vida pessoal e profissional, afinal, eu me transformei em uma mulher exemplar aos olhos de todos, não é mesmo? A grande questão é: a que custo consegui atingir esse resultado em minha vida? Colhi, sim, frutos muito bons em quase todas as áreas, mas a motivação estava errada. O meu porquê não era saudável. E, como sabemos que acontece com tudo o que não é saudável, uma hora o tempo cobra de nós o que estamos entregando, e assim os prejuízos começaram a aparecer. Foi só uma questão de tempo.

A você quero deixar a reflexão: quantas promessas você já fez a si mesmo diante de situações com grande impacto emocional? E quais foram os desdobramentos dessas promessas em sua vida? Em minha vida, o preço foi bem alto. A autocobrança, o sofrimento que eu sentia diariamente por nunca sentir que estava atingindo as expectativas que eu mesma havia colocado me fizeram perceber que não seria possível continuar vivendo daquela maneira. E eu precisei mudar, me reinventar. E é sobre isso que falaremos adiante.

UMA SÓ CARNE

Casei-me com o Paulo aos 26 anos e aprendi, na prática, o significado da expressão "uma só carne". No livro de Marcos 10:6-9, a palavra de Deus nos diz: "Mas no princípio da criação Deus 'os fez homem e mulher. Por esta razão, o homem deixará pai e mãe e se unirá à sua mulher, e os dois se tornarão uma só carne'. Assim, eles já não são dois, mas sim uma só carne. Portanto, o que Deus uniu, ninguém o separe".

E, quando somos uma só carne com nosso cônjuge, derrubamos todas as barreiras de proteção que usamos ao longo da vida para que as outras pessoas só vejam o nosso lado bom. Hoje eu tenho a mais plena convicção de que Deus colocou o Paulo na minha vida como a maior demonstração do amor d'Ele por mim que poderia existir no mundo, depois da morte de Cristo na cruz para me salvar.

Nosso cônjuge é a pessoa mais apropriada no mundo para colocar luz nas nossas falhas, nos exortar e nos ajudar a sair do engano e da mentira sobre nós mesmos. E comigo não foi diferente. O problema é que eu não estava preparada para reconhecer essa verdade sobre mim. Eu não estava preparada para descobrir que não era tão perfeita como eu demonstrava a todas as pessoas e até mesmo para mim.

Lembra-se de quando falamos sobre a busca incessante pela perfeição e pelos melhores resultados a partir da promessa que eu havia feito? Pois é. No meu esforço desesperado para ser elogiada, admirada e amada, eu não busquei apenas conquistar a admiração de todos, mas também acreditei que a minha realidade era a personificação da perfeição. Eu era uma personagem construída. Achava que era uma Mulher-Maravilha, mas, acredite, não existe mentira que dure para sempre.

Eu tinha a profunda convicção de que, se fosse irrepreensível, exemplar em todos os meus papéis como esposa, como filha, como mãe, como amiga, e nas relações com todos à minha volta, eu seria amada e importante para as pessoas. Então, vivi uma vida inteira em busca de aprovação.

Todas as palavras que eu falava, meus comportamentos, cada decisão tomada, tudo era sempre pensado para agradar. As máscaras, porém, começaram a ser identificadas quando me casei e o meu marido passou a conviver comigo.

No dia a dia, ele foi enxergando minhas falhas, meus erros, meus pecados e meus defeitos. E ele, sempre com muito amor, me exortava. Sempre falava, com carinho e respeito, que via que alguns comportamentos meus eram errados. Quantas vezes ele dizia que aquelas atitudes não combinavam comigo.

Talvez, se a minha necessidade por ser elogiada pelos meus acertos não fosse tão grande, eu tivesse ouvido melhor o que ele me dizia e, assim, teria refletido, reconhecido meus erros e mudado mais rápido. Sempre reagi muito mal, porém, aos seus comentários negativos sobre mim. Tentava constantemente convencê-lo de que ele estava enganado, de que o problema estava na percepção dele sobre mim.

Quantas vezes eu chorei, pensando comigo mesma que havia escolhido me casar com um homem viciado em criticar, igual à minha mãe. E tudo isso porque ele me mostrava as minhas falhas e eu, inteligente, logo arrumava rapidamente uma maneira de me justificar. A cada nova fala dele, eu sempre tinha uma excelente explicação para minimizar meus erros e, para completar, me vitimizava, chorando e dizendo que eu estava sendo injustiçada, pois, quanto mais eu me esforçava para agradá-lo, mais ele via defeitos em mim.

Imagine essa situação. Pois é, ela acaba se tornando insustentável a longo prazo. E foi assim que, administrando vários conflitos, fomos levando nosso casamento por quase dezessete anos.

Aqui, é importante pontuar que tínhamos uma vida abundante em todas as áreas, exceto por esse percalço em nosso relacionamento. O desafio estava em conviver com o que o Paulo via em mim; nos comportamentos que eu insistia em repetir ao longo dos anos e que o magoaram profundamente. Para sustentar a imagem da mulher perfeita, eu negava a todo custo que estivesse errada e, portanto, não busquei ajuda para mudar.

O nosso cérebro funciona assim: ao não assumir a responsabilidade por nossos atos, enviamos à nossa mente a mensagem de que não temos relação com o que está acontecendo – assim, não precisamos investir energia em mudar a situação; afinal de contas, se não somos responsáveis pela situação e se a culpa é do outro, não devemos nos preocupar com aquilo, não é mesmo? Esse autoengano me perseguiu até o dia em que o medo falou mais alto do que a mentira que eu contava sobre mim mesma.

No dia 5 de agosto de 2017, algo aconteceu durante um jantar que deixou o Paulo muito chateado. Lembra-se de quando falamos sobre sermos uma só carne e sobre o outro enxergar em nós o que mais precisamos mudar? Pois é. Naquele dia, eu tive certeza de que algo precisava ser feito. Eu precisava tomar uma atitude.

A MUDANÇA

Após o jantar, quando chegamos em casa, eu e o Paulo nos sentamos para ter uma conversa. Ele olhou em meus olhos com muita dor e disse que não aguentava mais, que não tinha mais esperanças de que eu seria capaz de mudar, pois eu negava meus erros. Dessa maneira, concluiu dizendo que não via mais solução para nosso casamento.

Lembro-me como se fosse hoje da dor que senti em meu coração ao ouvir aquelas palavras. Parecia que o chão sob meus pés estava aberto e que não havia suporte para que eu apoiasse as minhas mãos e me segurasse, a fim de não cair naquele buraco sem fim. E confesso: o meu maior desespero era não conseguir enxergar a mulher que ele estava descrevendo, a esposa com quem ele não queria mais continuar casado, pois eu vivia uma cegueira infinita sobre mim mesma. Eu não conseguia ver nada do que ele falava a respeito de minhas falhas. Não me reconhecia na mulher que ele descreveu.

As poucas falhas que reconhecia, eu dava um jeito de olhar com lentes de diminuição, sempre minimizando a gravidade do que eu fazia de errado. Existia em minha mente um diálogo interno que dizia: "Você tem tantas virtudes, tantas qualidades. Como é possível que o Paulo desista da nossa família por causa disso?". Entretanto, enquanto eu colocava lentes de diminuição ao que ele apontava, a minha percepção era de que meu marido usava lentes de aumento para enxergar os meus defeitos. Achava, de fato, que ele queria uma mulher sem falhas e que isso não existia.

No entanto, a dor e o medo de ver ameaçado de chegar ao fim tudo aquilo que existia de mais precioso na minha vida – minha família, meu casamento e meus filhos – foram aquilo de que eu precisava para começar a sair do lugar de orgulho e prepotência, e buscar com todas as minhas forças uma solução. Aquela dor parecia rasgar o meu peito. Lembro-me de pegar o carro em uma avenida larga da nossa cidade e gritar chorando muito, gritar com Deus, pedindo que Ele fizesse aquele pesadelo acabar, que me dissesse o que estava acontecendo, pois meu mundo estava desabando e eu nem sequer sabia mais quem eu era.

Naquele mesmo dia, algum tempo depois de ter saído de carro, recebi um telefonema de um amigo muito amado, André Victor – um homem especial de Deus –, chamando-me para uma noite de oração em um monte. Eu nunca havia ido, mas entendi o convite como algo de que eu precisava naquele momento em que me sentia perdida.

Foi uma noite muito especial, pois, pela primeira vez, Deus usou a vida de alguém – do André – para falar comigo de maneira clara, eliminando todas as dúvidas e garantindo que eu não estaria sozinha nesse processo de cura emocional e alinhamento. Ele estaria comigo!

Em espírito, o André disse: "Filha, eu te vi enquanto gritavas no carro hoje, mas não temas, pois eu estarei contigo durante todo o caminho". Completamente impactada, enchi meu coração de fé e esse foi o combustível para eu começar a viver o processo de transformação de tudo aquilo que precisava ser tratado em mim. E é esse o processo que tenho vivido até hoje e que me fez escrever este livro para que ele o ajude a trazer consciência sobre quem você vinha sendo, inspirando-o a viver o seu processo de, todos os dias, se conectar com a sua real identidade, tirando todas as mentiras e enganos sobre si mesmo.

Então, no meu desespero por mudar aquele cenário de dor que se desenhava na minha frente, eu comecei a agir. Gosto de falar que a mesma atitude que usei ao longo da minha vida para ser alguém de alto desempenho foi utilizada também para iniciar o meu resgate, iniciar o processo de cura da minha vida.

No dia seguinte à noite de oração, peguei o primeiro avião disponível saindo de Fortaleza para Manaus. Viajei durante sete horas seguidas, pois queria começar a semana com uma transformação. Em Manaus, fui até a Margô, minha amiga e coach pessoal, para dizer, olhando nos olhos dela, o quanto eu precisava de ajuda e o quanto eu estava disposta a não medir esforços para ser transformada. E ali, do outro lado do país, nos primeiros segundos de conversa, iniciou-se o meu processo de cura, de alinhamento.

O PONTO DE NÃO RETORNO

Nós marcamos um café da manhã no hotel em que eu estava hospedada e as primeiras frases que eu disse, ao me sentar em frente à Margô, foram: "Amiga, eu estou destruindo a minha vida com as próprias mãos. Meu marido vê em mim coisas que não consigo reconhecer. Me ajude, pois não tenho mais ideia de quem eu sou". E, naquele momento, começava o meu processo de cura.

A cura começou ali porque, pela primeira vez na minha vida, aos 43 anos, eu estava falando para alguém que

Esse autoengano me perseguiu até o dia em que o medo falou mais alto do que a mentira que eu contava sobre mim mesma.

existiam fraquezas em mim. Pedi ajuda a outra pessoa pela primeira vez, mostrei vulnerabilidade, reconheci que não era a mulher perfeita que demonstrava ser. Comecei, então, o meu processo de coach individual com a Margô – e a cada semana era uma descoberta.

Fui conduzida, com muita sabedoria, a um estado pleno de consciência sobre a minha vida e o caminho que eu deveria seguir para descobrir meu verdadeiro valor e minha identidade real. O objetivo era desconstruir na minha mente a necessidade de agradar os outros para ser amada, e aprender a me posicionar como quem tem valor, simplesmente por **ser**, e não por **fazer**.

No mesmo mês, no dia 25 de agosto de 2017, segui em direção a uma busca interna, focada 100% na minha estrutura espiritual. Fui para a Estância Paraíso, em Belo Horizonte, a fim de participar de um processo de cura e restauração chamado Moriá. Sem dúvida, essa experiência me levou a iniciar um novo nível de relacionamento com Deus.

E foi lá, no Moriá, que ouvi falar pela primeira vez sobre o tema **rejeição**. Foi durante uma ministração da pastora Débora, que contou a respeito da própria história de vida, de como ela se sentira inferior aos seus irmãos durante a infância, além dos frutos que colheu na vida adulta em razão desse sentimento de achar que não era boa ou amada o suficiente pela sua família.

Eu a ouvi com toda a atenção, me emocionei com sua história de vida e com a transformação emocional pela qual passou e pelo seu amor por Jesus, mas, racionalmente, não consegui me identificar com ela. Eu me sentia amada pelos meus pais cognitivamente, então achei que esse tema não tinha muito a ver com a minha história.

Afinal, não imaginava naquele momento que existisse em mim algum sentimento de rejeição.

Eu dizia a mim mesma que aquilo não era para mim, que sempre fui muito amada. Então, apenas guardei na minha memória o testemunho da pastora Débora, mas não abri meu coração para o tema. Não tive nenhum tipo de identificação com ele. No entanto, tenho certeza de que você já ouviu alguém falar que os planos de Deus não morrem e que a misericórdia d'Ele se renova a cada manhã. Por isso, fico imaginando o Senhor olhando para minha ignorância e cegueira e dizendo para si que não desistiria de mim, não desistiria do propósito que eu carregava, mesmo sem saber ainda dele.

Você se lembra de quando eu contei que decidi usar toda a minha eficiência para mudar a mim mesma e não destruir mais o meu casamento? Então, eu já havia iniciado o coach individual, já tinha feito o Moriá e agora era hora de mergulhar na minha estrutura emocional.

Eu era tão arrogante e vaidosa (embora disfarçada de humilde) que, mesmo na posição de sócia do Paulo e estando casada com ele – sendo o Paulo a maior autoridade em inteligência emocional no nosso país –, jamais tinha me permitido sentar como aluna no Método CIS© e viver o treinamento como experiência pessoal. Eu me escondia atrás da desculpa de que, se fizesse o curso como aluna, nada nele iria funcionar; afinal de contas, sou a responsável pela realização do evento. Hoje vejo como o orgulho nos emburrece e rouba as bênçãos que Deus tem para nós.

E assim, no dia 7 de setembro de 2017, trinta e dois dias depois do meu grito de "chega!" no carro e da minha decisão de agir para não arruinar a minha vida, fui fazer o Método CIS© como aluna no Rio de Janeiro. E lá eu ganhei um presente que veio do céu. Minha amiga, Renata André, me chamou no fundo do salão de eventos, perto da mesa de som, para me dizer que sentira em seu coração que precisava comprar dois livros para mim. E me entregou um pacote de presente. Quando abri, peguei em minhas mãos *A coragem de ser imperfeito*, de Brené Brown,[1] e *A raiz de rejeição*, de Joyce Meyer.[2] Olhando para os títulos, entendi imediatamente que não era por acaso que eu estava ganhando aquele presente. Pensei: *Deus está enviando esse novo chamado, já que O ignorei no primeiro momento na ministração da pastora Débora.* Agora não havia escapatória. Eu precisava entender o que a rejeição tinha a ver com a minha vida.

Comecei por *A raiz de rejeição* no dia seguinte após acabar o Método CIS© e fiquei impactada já nas primeiras páginas. À medida que eu avançava na leitura, parecia que escamas caíam dos meus olhos, e muitas emoções estavam misturadas no meu coração. Em alguns trechos, sentia que a Joyce Meyer havia vivido ao meu lado e transcrito a minha história de vida naquelas páginas. Terminei o livro muito emocionada, pois finalmente havia entendido em qual momento nasceram todas as distorções da minha identidade, em quais ocasiões se formaram todas as disfunções de comportamento na minha vida e o que fez o meu caráter original, dado por Deus, ser adulterado.

1 BROWN, B. **A coragem de ser imperfeito**. Rio de Janeiro: Sextante, 2016.
2 MEYER, J. **A raiz de rejeição**. Belo Horizonte: Bello Publicações, 2021.

E, para evitar que você cometa o mesmo erro que cometi e adie a transformação que precisa viver e que as pessoas que você ama merecem, eu vou conduzi-lo por um exercício que o ajudará a entender a rejeição e suas manifestações.

ACESSE AQUI O MEU VÍDEO DO MÉTODO CIS© PARA QUE EU CONDUZA VOCÊ DURANTE A EXECUÇÃO DESTA ATIVIDADE.

https://digital.febracis.com/
viva-sua-real-identidade

Exercício 1

Esta é a primeira atividade que faço na minha ministração durante o Método CIS©, mas, antes de começarmos, é necessário que você abra o seu coração, que chame para este momento três atributos que impossibilitam a sequência da jornada se eles não estiverem presentes. Para dar o próximo passo, você precisa chamar, aí do seu ladinho, a **verdade**, a **humildade** e a **coragem**.

Precisamos nos agarrar a esses três atributos para não cairmos na cilada do **orgulho**, da **vaidade** e da **arrogância**, características que nos impossibilitam enxergar a nós mesmos como verdadeiramente temos sido. Isso é o que nos impede de mudar e ser melhores a cada dia, nos mantendo no engano. É apenas com **verdade**, **humildade** e **coragem** que nos avaliaremos corretamente e veremos a verdade nua e crua sobre nós mesmos.

Então, chame agora para o seu coração a **verdade**, a **humildade** e a **coragem**. Você precisará muito delas para viver o processo de se livrar das mentiras sobre você e para fazer o exercício a seguir. Vamos lá!

Observe os diversos comportamentos que eu listei. Usando a verdade, a humildade e a coragem, coloque no espaço ao lado de cada um deles uma nota de 0 a 10 para a **intensidade** e a **frequência** com que eles existem na sua vida. Mas lembre: seja sincero na sua resposta, pois esse passo é fundamental para tudo que vou entregar a você na leitura deste livro.

Comportamentos indesejados que percebo em mim

- CIÚMES
- ANSIEDADE
- IMPACIÊNCIA
- VITIMIZAÇÃO
- VÍCIO EM FAZER
- CRÍTICA
- MEDOS
- ARROGÂNCIA E ORGULHO
- CULPA
- SENTIMENTO DE INFERIORIDADE

- DESRESPEITO
- DESCONFIANÇA
- COMPETIÇÃO
- HIPERPERFECCIONISMO
- VÍCIO EM TRABALHO
- VÍCIO EM ÁLCOOL
- VÍCIO EM DROGAS
- VÍCIO EM TELEVISÃO
- VÍCIO EM REDES SOCIAIS
- OUTROS

Agora que você identificou seus comportamentos e designou uma nota a cada um deles, quero lhe contar mais uma coisa: nossos comportamentos falam do que temos em nosso coração. Eles são fruto das sementes que foram lançadas em nós ao longo da nossa vida. E essas sementes, por sua vez, foram lançadas em nosso coração e em nossa mente pelas interações de amor e de dor que tivemos, principalmente na nossa infância e pelas pessoas mais importantes, aquelas que tinham autoridade sobre nós. A maioria dessas sementes foi plantada pelos nossos pais, pais substitutos ou pela ausência deles.

A palavra de Deus já nos ensinou, em Mateus 12:34, que a nossa boca fala do que o coração está cheio. E, em Mateus 7:16, aprendemos que pelos frutos conheceremos a árvore. Então, observe a árvore a seguir, prestando atenção aos frutos que existem nela. Agora, olhe onde estão plantadas as raízes dessa árvore que produz esses frutos.

REJEIÇÃO, A MAIOR DE TODAS AS DORES 93

Sabe aquele ditado popular que diz que contra fatos não há argumentos? Pois é.

Se existem na sua vida alguns desses frutos, é porque em algum momento da sua história você viveu experiências que tiveram como consequência memórias em que você não se sentiu amado, não se sentiu importante, não se sentiu de fato pertencente ao seu núcleo familiar. E, emocionalmente, você associou alguns sentimentos ruins a essas memórias, como dor, injustiça, vergonha, constrangimento, medo, culpa.

Em outras palavras, para cada memória de dor, existem em você um sentimento ruim e um significado associados. E aqui estamos falando sobre aprendizado emocional produzido pela experiência de dor que você viveu.

São ações que produzem reações e, consequentemente, geram algum tipo de significado e crença dentro de nós mesmos, como: "Eu não sou bom o suficiente", "Eu não sou inteligente", "Eu não sou capaz", "Eu não mereço", "Eu não sou amado". E o principal: "Eu sou rejeitado!". Isso mesmo. **Eu sou rejeitado.**

Por eu já ter estado com um livro em minhas mãos que apresenta este tema e por saber o quanto relutei para aceitar o título de rejeitada em minha vida, reconheço a importância de alertar para o fato de que, como explica Joyce Meyer em *A raiz de rejeição*,[3] a maior estratégia da rejeição é negar que ela existe, pois assim ela continuará no controle das suas emoções, guiando seu coração e destruindo sua vida, gerando frutos e mais frutos ruins, muitas vezes sem você nem perceber.

3 MEYER, J. *op. cit.*

Desse modo, convido-o a dar o primeiro passo em direção à libertação da rejeição: reconhecer que ela existe. Quando você a reconhece, chega a um ponto de não retorno, pois poderá eliminar as disfunções que existem em você, agora que sabe o dano que elas podem causar.

ENTENDENDO A ORIGEM DA REJEIÇÃO

Olhando para a imagem das **raízes da rejeição**, faço uma pergunta: existem em você alguns desses frutos? Não adianta negar. Você se vê no seu dia a dia se comportando com ciúmes, culpa, impaciência, orgulho, dificuldade de perdoar, ansiedade, com medos emocionais que o paralisam, sempre olhando o lado negativo das situações e das pessoas, sempre criticando e cheio de vícios comportamentais e emocionais?

Se a sua resposta foi sim para alguma dessas perguntas, saiba que esse comportamento é uma manifestação clara de rejeição, e o melhor conselho que eu posso dar a você neste momento é: reconheça! É preciso reconhecer, assim como um dia eu fiz em minha vida, iniciando uma busca desesperada para me livrar deles.

Agora que já falamos sobre como a rejeição se manifesta em comportamentos, quero mostrar quais foram as origens dela em sua vida, isto é, como ela se enraizou nas suas emoções, adulterando a maneira pela qual você olha para si mesmo e, por vezes, não acredita ser capaz de realizar determinados objetivos; ou, então, o que você, emocionalmente, acredita que merece viver. E aqui estamos falando das sensações mais íntimas que você possivelmente tem, não apenas da boca para fora.

Quem não reconhece as **falhas** não vê necessidade de **aprender.**

Agora é hora de entender a chave das suas dores, das dificuldades nos relacionamentos, da frustração profissional, da falta de segurança e escassez na vida financeira, e tudo mais de disfuncional que existe hoje em sua vida.

Pense comigo: Deus afirma que fomos criados à imagem e semelhança do Criador (Gênesis 1:26-28); nos diz que Jesus veio para que tivéssemos vida em abundância (João 10:10); fala que Ele é quem sabe os pensamentos que tem sobre nós – pensamentos de paz, e não de mal, para nos dar o fim que esperamos (Jeremias 29:11-13).

Essas e muitas outras promessas a respeito de nossa identidade são feitas por Deus para nós, como quando falamos sobre o poder da paternidade e sobre os planos e propósitos do Senhor para nossa vida. Assim, é possível afirmar que, diante das promessas do Pai, somos feitos à semelhança e à identidade de criaturas prósperas, felizes e cheias de realizações. Entretanto, pergunto a você: onde foi que nos perdemos no meio do caminho? Em qual momento começamos a viver uma vida tão distante dessa identidade do céu? Em qual ocasião você deixou de seguir em direção a uma vida abundante e plena? Por que existem em você tantos comportamentos que produzem dor e derrotas na sua vida?

A resposta para essas questões, como falamos anteriormente, está nas nossas memórias. Quero levá-lo, porém, a uma consciência maior e plena de quais foram as experiências que geraram esses frutos que hoje estão pendurados na árvore da sua vida, fazendo-o adoecer, apodrecendo seu solo e, pior, as pessoas que lhe são próximas e que são as que você mais ama.

Falamos sobre a minha infância, algumas das minhas memórias, quais crenças foram produzidas a partir delas e as raízes de rejeição que surgiram por consequência. Na minha busca por salvar meu casamento, minha família e por me livrar dos resultados da rejeição para descobrir meu verdadeiro valor e passar a viver a minha identidade de filha amada, eu estudei muito para que pudesse entender o que aconteceria e como poderia me libertar de tudo aquilo.

Desse modo, após juntar e separar alguns exemplos de experiências que li e vivi que conectam nossa vida à rejeição, quero propor um novo exercício.

Exercício 2

Da mesma maneira que fizemos no Exercício 1, quero pedir que você tenha humildade, verdade e coragem para avaliar e responder de maneira mais sincera possível. Assim, a seguir, estão listadas algumas das principais experiências que, quando vividas de modo repetitivo em nossa infância e adolescência, ou mesmo apenas uma vez, mas sob forte impacto emocional, produzem em nós crenças limitantes sobre nosso valor e sentimentos de rejeição.

Quero que você assinale ao lado de cada item se viveu esse tipo de experiência na sua casa, na sua infância ou até mesmo na juventude. Mas atenção! Seja sincero. Hoje, você e todos aqueles que você ama pagam um alto preço por essas crenças, fazendo esse reconhecimento e essa consciência serem imprescindíveis no processo de transformação que você merece viver.

ACESSE ESTE QR CODE E ME DEIXE CONDUZIR VOCÊ NO PROCESSO DE REALIZAÇÃO DESTE EXERCÍCIO.

https://digital.febracis.com/viva-sua-real-identidade

Situações que aconteceram na sua infância/juventude

- GRAVIDEZ INDESEJADA
- IMPACIÊNCIA
- BRIGAS NO CASAMENTO
- ABANDONO (INTENCIONAL OU NÃO)
- PALAVRAS DE ACUSAÇÃO
- HUMILHAÇÃO
- PALAVRAS DE INVALIDAÇÃO
- BEBIDAS E DROGAS NO LAR
- ADULTÉRIO
- SURRAS
- PRIVAÇÃO DO BÁSICO
- CASTIGOS EXAGERADOS
- MAUS-TRATOS
- ABUSO SEXUAL
- CRÍTICAS
- SOFRIMENTO DE PAI E MÃE
- INJUSTIÇA
- FALTA DE AMOR
- COMPARAÇÃO
- OUTRAS

REJEIÇÃO, A MAIOR DE TODAS AS DORES   99

Sabe o que todas essas situações vividas no passado significam? Elas funcionam como setas que nos direcionam para uma identidade específica, para determinado valor. E não necessariamente essa identidade e esses valores nos pertencem, pois são situações que colocam à prova o quanto éramos importantes e amados. E essas setas nos afastaram de quem fomos feitos para ser, que fizeram eu e você nos perdermos no meio do caminho, nos distanciarmos do nosso propósito nessa vida, chegando ao ponto de nem mesmo saber quem somos.

E sabe o que é pior? Pessoas machucadas machucam! Pessoas rejeitadas rejeitam. Dores como essas geram vícios emocionais. E viciados sempre criarão situações que alimentam o próprio vício, revivendo em várias fases da vida os sentimentos de dor experienciados no passado.

Por tudo isso, é muito provável que hoje você esteja vivendo algumas dessas situações na sua vida adulta, ou seja, revivendo a sua dor do passado e causando dor em seu cônjuge, em seus filhos, pais e todos aqueles que você ama e que lhe são muito importantes. É bem provável que você esteja sempre criando uma situação para alimentar o seu vício de sofrimento aprendido na infância e adolescência. Talvez seu vício seja ser criticado ou humilhado, traído, enganado, quem sabe até comparado. Não sei quais foram suas experiências, mas sei que hoje elas devem estar atrapalhando sua vida.

Desse modo, convido-o a voltar ao Exercício 2 para ler cada tópico novamente. Mas, desta vez, quero que reflita se hoje, na sua vida adulta, você vive essas situações em casa. Caso a resposta seja afirmativa, gostaria de pedir que você pinte com um marca texto aquelas que experiencia e, em seguida, observe se o que está vivendo hoje é semelhante ao que viveu em sua infância, com a diferença de que agora você é o agente causador dessa situação.

Para ajudá-lo no entendimento de como os vícios acontecem na nossa vida, vou usar mais uma vez minha trajetória como exemplo.

VÍCIOS EMOCIONAIS

Quando faço o Exercício 2, eu vejo que vivi na infância impaciência, brigas no casamento, palavras de acusação, humilhação, muitas críticas, sofrimento de mãe, comparação e alguns outros. E todos esses comportamentos e situações produziram em mim marcas fortes que culminaram na quase destruição da minha família, remontando a muitas situações vividas no meu passado, e que passaram a fazer parte do meu presente. A Camila adulta seguia vivendo, em sua vida e em seu casamento, as mesmas dores.

Hoje vejo que havia me viciado emocionalmente a uma dor e que sempre criava uma maneira de beber do próprio veneno, revivendo de maneira infinita a mesma dor de antes. A isso chamamos de vício emocional e é sobre essa questão que falaremos agora.

É claro que hoje eu falo a respeito disso com muita lucidez, mas foi difícil o processo de tirar as camadas de cegueira dos meus olhos até ver a verdade como ela é.

E talvez você esteja pensando: "mas por que é tão difícil reconhecer a rejeição em nossa vida? Por que ela está sempre tão camuflada em meio às nossas emoções?". Eu explico.

A rejeição é uma dor e o ser humano é movido pela busca do prazer e fuga da dor. Desde o nosso nascimento,

> **A questão é que só conseguimos eliminar ou minimizar as consequências das memórias de rejeição na nossa vida quando tomamos consciência da existência delas e de onde elas vieram.**

nós fugimos da dor física e da dor emocional. Quando éramos crianças e cometíamos um erro, ficávamos ansiosos, pois sabíamos que nossos pais podiam nos dar uma bronca; consequentemente, aprendemos a esconder as nossas falhas, a negar e a mentir. Crescemos sempre buscando fugir de tudo que pudesse nos trazer dor.

Portanto, é comum perder a memória parcial ou completa quando vivemos algo muito impactante e dolorido emocionalmente. Isso acontece pois nosso cérebro quer nos proteger e faz isso guardando essa experiência em um local escondido e de difícil acesso. Tudo isso para nos proteger da dor.

Imagine, então, que a rejeição fala de memórias de dor vindas das pessoas que eram mais importantes para nós. Assim, é a partir daí que entendemos a enorme dificuldade que algumas pessoas têm em identificar e reconhecer. A questão é que só conseguimos eliminar ou minimizar as consequências das memórias de rejeição na nossa vida quando tomamos consciência da existência delas e de onde elas vieram. Então, é preciso viver a dor, enfrentar o desprazer, ver a verdade e, a partir desse estado pleno de consciência, começar o processo de cura.

Em *A raiz de rejeição*,[4] Joyce Meyer apresenta as estratégias de defesas usadas por nós como muralhas de proteção da dor da rejeição. Antes de seguirmos com o passo a passo sobre como você conseguirá se livrar de tudo isso, vou resumir essas muralhas para que você possa identificar quais vem usando ao longo da sua vida.

Para minha surpresa, ao ler o livro da Joyce, eu descobri que usava todas elas. Para cada situação pela qual passava, eu utilizava uma blindagem que me afastava da dor, mas me aprisionava em uma vida de mentiras e de engano. Vamos adiante!

OS MUROS DE PROTEÇÃO

1. Voto secreto

O primeiro muro diz respeito àquelas promessas que fizemos a nós mesmos sempre que passamos por situações que colocaram à prova as nossas capacidades ou a nossa índole. E tudo isso por acreditarmos que, fazendo promessas absurdas e criando votos secretos, seríamos capazes de nos livrar de novas dores.

Lembra-se do juramento que fiz ao meu tio quando eu tinha 12 anos, prometendo a ele – mas, principalmente, a mim – que seria exemplar em tudo aquilo que fizesse? E prometi também que nunca mais na minha vida ninguém

4 MEYER, J. *op. cit.*

me humilharia ou me criticaria pelos meus resultados. Pois é. Esse foi o meu maior muro, o meu voto secreto. Algumas vezes, ainda vejo escombros dele que tenho que quebrar na minha vida. Para algumas pessoas, os votos secretos podem ter sido como os a seguir:

- Nunca mais pessoa nenhuma me machucará, nem que eu fique sozinho para o resto da minha vida;
- Tenho que ser independente financeiramente custe o que custar, pois nunca mais ninguém vai me humilhar;
- Vou provar para ele/ela que vou vencer na vida e que suas concepções a meu respeito estavam erradas;
- Não posso mostrar fraqueza para ninguém, pois nunca mais deixarei alguém me machucar.

Talvez o seu diálogo interno esteja dizendo que não existe nada de errado em uma pessoa tomar decisões como essas para que os machucados parem de existir. O problema maior, entretanto, está no fato de que essas decisões podem levar a bons resultados, mas com motivações erradas.

E posso afirmar, com certeza, que as ações para sustentar essas decisões vão gerar consequências ruins. No meu caso, vivi sempre em situações de tremenda invulnerabilidade para sustentar minha promessa de alta performance, para ser aceita e me sentir amada. Eu jamais permitiria aos outros que enxergassem minhas fraquezas ou falhas. Afinal de contas, eu jurei que seria perfeita, não é mesmo? Mas eu e você sabemos que a perfeição não existe, e esse conflito entre a realidade e a promessa gerou mentiras e me fez postergar por anos o meu processo de desenvolvimento e crescimento. Quem não reconhece as falhas não vê necessidade de aprender.

E aí eu pergunto a você: qual ou quais foram as promessas que você já fez a si mesmo ao longo da sua vida e que hoje funcionam como votos secretos que o impedem de ser feliz? É muito importante que você responda a essa pergunta antes de passar para o muro seguinte.

2. Fingimento

O segundo muro é o do fingimento e ele diz respeito a nossa habilidade em não demonstrar nenhum tipo de fraqueza. Esse muro nega os nossos sentimentos.

Um exemplo: se você tem o muro do fingimento em você, diz que "não foi nada de mais" quando alguém o machuca, que não teve importância nenhuma o erro da outra pessoa e que nem doeu.

Eu também usei esse muro a vida inteira. Nunca tive coragem de dizer para meus amigos quando eles faziam algo que me deixava mal. Sempre disfarcei minha mágoa, negando que eu estivesse triste e falando que não era nada de mais o que havia acontecido. Mas o que é isso, afinal? É mentira e manifestação de orgulho.

3. Autodefesa

O terceiro muro é o da autodefesa e ele está relacionado àquela pessoa que, por medo de ser esquecida em uma data importante, por medo de viver mais uma frustração, medo de não se sentir amada ou importante, tenta controlar todas as situações. Identificou algo?

Hoje reconheço que, durante muitos e muitos anos da minha vida, eu criava situações em que eu garantiria que o Paulo não esqueceria a nossa data de aniversário de casamento, ou esqueceria o meu aniversário. E, depois de ler sobre a autodefesa no livro da Joyce, entendi a verdadeira motivação para as minhas atitudes. Eu não criava aquelas situações porque estava curtindo de véspera a data importante que ia chegar, mas, sim, porque morria de medo de ser esquecida e porque me sentiria muito triste se isso acontecesse, alimentando meu sentimento de rejeição.

4. Defesa verbal

O quarto muro é o da defesa verbal e ele fala sobre o medo que temos de ser rejeitados novamente e revivermos as dores da infância.

A defesa verbal é quando você utiliza todos os argumentos possíveis para convencer o outro de que ele está errado, de que você não errou, de que é incrível e merece ser amado e admirado. Eu me lembro de quantas e quantas vezes tentava, com todas as minhas forças, convencer o Paulo de que o que ele estava reclamando não era certo, de que eu não estava fazendo nada de errado, de que não era como ele estava dizendo. E eu não parava de falar, de argumentar, de insistir enquanto não o convencia – mesmo que, no fim das contas, ele não ficasse realmente convencido.

Depois que ele identificou esse padrão de comportamento em mim, começou a olhar em meu olhos e dizer: "Chega! Eu desisto. Você está sempre certa. Então, não precisa gastar seus argumentos para me convencer. Continue no seu engano, na sua falsa verdade, que eu não vou tentar mais fazer você ter consciência sobre seus atos. Eu desisto!". Será que esse também é um muro usado por você para sustentar suas verdades e pontos de vista diferente dos outros? Pense nisso!

5. Comprando proteção

O quinto e último muro diz respeito às pessoas que tentam comprar proteção para se resguardar da rejeição e acabam fazendo muitas coisas certas, porém com a motivação errada. As atitudes não são por amor aos outros, mas, sim, para conquistar a admiração do próximo.

O muro comprando proteção nada mais é do que uma maneira de manipular os sentimentos das pessoas com o objetivo de que você se sinta amado e importante. E como é feita essa manipulação? Sendo extremamente agradável, muito amigo, dedicado, sempre disponível para ajudar, pronto para falar o que o outro deseja ouvir. Aquele que compra proteção ama dar presentes e preparar festas surpresas para os amigos, jamais entra em um debate para expor sua opinião se isso o fizer se indispor com os demais por causa de sua posição. É uma busca desesperada por agradar. Mas o preço também é caro!

UM NOVO PASSO

Agora que você já conhece a rejeição, a origem dela, os seus desdobramentos, os vícios emocionais e todos os muros de proteção que criamos ao nosso redor, pergunto-lhe para fecharmos este capítulo: você se identificou com estas páginas?

Seja sincero. Quanto mais verdadeiro você for, mais rápido terá consciência e, consequentemente, mais rápido se livrará de tudo que o aprisiona.

Para mim, foi muito libertador saber da existência de tudo o que eu trouxe neste capítulo e reconhecer cada uma das etapas pelas quais passei (pelo menos em alguma fase da minha vida), a fim de conseguir curar as feridas emocionais que existiam em minha alma. À medida que eu avançava no processo de fortalecimento da minha identidade, que conseguia ressignificar as dores do passado, que alinhava as minhas emoções, que podia perdoar quem eu precisava perdoar – e, por consequência, perdoar a mim mesma –, eu me libertava de tudo isso, das máscaras e das mentiras.

Nesse processo, descobri que podia me mostrar para as pessoas como verdadeiramente sou. Perceba: eu não precisava mais manipular ninguém, tentando comprar o seu amor e a sua admiração, pois descobri que me era permitido falhar e, mesmo assim, ainda ser amada. E isso foi libertador!

O grande propósito de este livro ter sido escrito está nesse processo pelo qual passei. E quero dizer a você que, se eu pude, então você também pode.

E o próximo passo você vai dar agora!

4

IDENTIFIQUE AS CONSEQUÊNCIAS E VENÇA–AS ENQUANTO HÁ TEMPO

Neste capítulo, vou contar algo que, até hoje, dia em que escrevo este livro, nunca contei publicamente para ninguém. Mas sinto que, com muita humildade, preciso abrir meu coração e mostrar a você as consequências negativas e reais que as memórias de rejeição produziram em minha vida adulta. Agora falaremos sobre as minhas fraquezas do passado, as que identifiquei quando iniciei o processo de recuperação; assim, você poderá olhar para a sua vida e evitar que caia nas mesmas armadilhas. Entretanto, se já estiver vivendo nelas, você poderá olhar para minha história, se identificar e decidir por se livrar delas também. Mas não espere mais, comece agora mesmo enquanto há tempo.

No último capítulo falamos sobre o momento em que eu disse "**chega!**" e comecei a viver o meu processo de me livrar das mentiras e me conectar com quem eu nasci para ser. Naquele momento, a minha real identidade nunca estivera tão longe de mim. A identidade da Camila de agosto de 2017, que ouviu do marido que ele não aguentava mais o casamento, era a identidade de uma mulher muito diferente do projeto original de Deus para minha vida.

Embora não tivesse nenhuma consciência disto, eu tinha me transformado em uma mulher que, como gosto de dizer, parecia um trator desgovernado ladeira abaixo. Eu era acelerada, indiferente aos sentimentos das pessoas, focada nos meus resultados e jamais parava para olhar para mim mesma a fim de perceber quem eu vinha sendo. As minhas experiências do passado forjaram minha maneira de me ver, de ver os outros com quem eu me relacionava e de viver a minha vida. E com a sua vida não é diferente. Tudo o que você viveu está impresso aí, nas suas estruturas emocionais, em forma de memórias e significados, e são elas que hoje definem os resultados que você tem em cada área da sua vida. Os seus resultados profissionais, financeiros, seus relacionamentos, sua saúde e até sua conexão com Deus.

Por esse motivo, tenho insistido tanto para que você busque diariamente um estado de consciência plena sobre quem realmente tem sido, sobre as suas escolhas, seus comportamentos e seus sentimentos. Tem algo errado acontecendo em alguma área? Tem algo que rouba sua alegria hoje? Um problema específico no seu casamento? Dificuldades de relacionamento com um dos seus filhos? Ciclos de dificuldade financeira que parecem não acabar nunca? Sentimento de frustação profissional? Dificuldade de relacionamento de amor e tolerância com seus pais? Sua saúde física está ameaçada pelo seu estilo de vida e pela sua alimentação? Sente que suas emoções estão fragilizadas, fazendo você precisar de remédios para alterar humor, para dormir ou acordar? Não negligencie! Não faça de conta que o problema está fora de você. Se somos os únicos responsáveis pela vida que estamos levando, precisamos reconhecer os frutos, os resultados que temos colhido, e analisar as sementes que estamos plantando. Esse é o pressuposto básico para que reconheçamos tudo aquilo que não está funcionando bem e quais são as consequências dessas escolhas em nossa vida hoje para que possamos mudar. Quando reconhecemos verdadeiramente as causas e as tratamos, podemos seguir fortes, vivendo o processo de cura e, consequentemente, encontrando a nossa real identidade. E insisto nessa afirmação, pois tenho convicção de que eu demorei demais – e, por demorar demais, quase perdi o que mais amo na vida: a minha família.

Para vencer a dor da rejeição que existia em mim, mesmo inconscientemente, me transformei em uma mulher forte, decidida, realizadora, resoluta, objetiva e superconectada com aquilo que precisava ser feito em todas as áreas da vida. Planejava tudo o tempo inteiro e sempre tomava a iniciativa para que saísse da maneira como eu gostaria. Buscava estar no controle não só da minha vida, mas também da vida daqueles à minha volta. Ou, pelo menos, eu achava que estava no controle. Para mim, se eu dominasse todos os processos, eles aconteceriam como o esperado e isso evitaria surpresas. Afinal de contas, eu me achava muito capaz de fazer tudo bem-feito, então a melhor opção seria mesmo cuidar de tudo sozinha para não correr o risco de me frustrar com os resultados de outras pessoas.

E, para reforçar em mim a crença de que estava no caminho certo, eu me esforçava muito para obter os resultados desejados; assim, atraía muitos elogios e validações quando conseguia o que eu queria. Sempre meus pais diziam, cheios de orgulho, que eu era uma executiva de sucesso, que eu era demais. Minha mãe, que foi de quem ouvi as maiores críticas, olhava para os meus resultados profissionais e dizia com muita vaidade que eu era incrível, parecida com ela, e que, por esse motivo, era tão competente. Minhas amigas de vida e alguns professores falavam sobre o meu talento e sobre o sucesso que teria por me comportar assim. No início da minha carreira profissional, esses padrões de comportamento sempre atraíram elogios e validações.

Então, se o meu objetivo era fugir das críticas, ser valorizada e admirada, eu parecia ter encontrado a fórmula perfeita. Certamente estava no caminho certo. E racionalmente não existia nada de errado com meu estilo de vida. Muito pelo contrário, me convencia cada dia mais de que era uma mulher quase perfeita.

Porém, lembra-se de quando falamos que essa era apenas uma das faces da moeda? Esse lado era somente o resultado que eu gostaria de mostrar. O restante – uma mulher disfuncional – eu guardava muito bem escondido até mesmo de mim, chegando a ponto de não me reconhecer em nenhuma crítica, negar absolutamente tudo o que era apontado em mim.

Mas o leitor pode estar se perguntando: quais eram essas características que você escondia tanto? O que podia ser tão feio em uma mulher que fazia tantas coisas certas? Vem comigo que você entenderá como funciona a nossa mente.

ERA UMA VEZ...

Quando prometi a mim mesma, aos 12 anos, que nunca mais seria criticada pelos meus resultados, tinha necessidades emocionais e precisava abrandar a dor das minhas feridas abertas. E se as minhas feridas foram abertas, principalmente, pelas memórias de críticas, comparações e indiferença, o que eu mais buscava para aliviar a dor era ser elogiada, ser admirada, me sentir útil e necessária. Precisava me sentir importante e amada.

Como a minha promessa envolvia alta performance em tudo que eu entregava, é muito natural ter conseguido todos esses bons resultados no âmbito profissional e em outras áreas da vida, porém, como falamos no capítulo anterior, realizar as coisas certas pelos motivos errados nos faz nos perder no meio do caminho. A minha motivação não era pura e, assim, eu vivia em busca de preencher uma lacuna na minha alma para não viver como uma mulher que não tem convicção do seu valor próprio. A única certeza era da minha capacidade de realizar, então, coloquei como centro da minha vida todas as minhas habilidades em fazer as coisas acontecerem – e sempre muito bem-feitas. Todo o resto era secundário para mim.

Assim, deixo aqui uma reflexão para você: quando não sabemos o nosso valor, invariavelmente, vacilamos suprindo nossas dores emocionais nas fontes erradas.

Nesses casos, nossas decisões são comandadas pela falta de algo, e não pela convicção do nosso propósito de vida, o que nos conecta à fonte de energia e de inspiração errada. E beber da fonte errada nos faz gerar frutos ruins para a nossa vida. Foi assim comigo e será assim com você também, caso não adquira consciência da origem das suas dores e, consequentemente, não entenda o seu propósito e qual é a sua verdadeira identidade. O caminho seguro para não cair nessas armadilhas é reconhecer os frutos da rejeição que existem hoje e entrar no processo para livrar-se deles, minimizando os efeitos danosos causados até agora em sua existência e na vida de quem você mais ama.

Com este livro, quero colocá-lo na posição de transformação, trazendo luz para os seus olhos. Desse modo, vamos falar agora sobre as maiores fraquezas do meu passado. Meu objetivo é lhe mostrar o lado não belo da minha vida, para que você veja a minha alma antes de ter sido curada. Dessa maneira, você se sentirá mais confortável para refletir sobre o que acontece com você e compreender que deve **decidir, hoje**, escrever uma nova história. É apenas atingindo esse nível de consciência que decidirá verdadeiramente entrar no processo de conexão com quem Deus o fez para ser. Vamos lá! Contarei mais uma história a seguir.

Era uma vez... a Mulher-Maravilha, maior heroína e guerreira dos quadrinhos e das telonas. Por fora, uma moça doce, sensível e até mesmo aparentemente frágil, mas que, diante de uma missão, vestia seu bracelete e seu escudo, equipamentos de super-heroína, e entrava em seu avião invisível, cheio de superpoderes e partia para a salvar o mundo. Eu me identifico com a história dela, pois o que aparentava externamente era apenas o que ela gostaria que os outros vissem. Era forte, tinha superpoderes e, quando estava em uma missão, era a sua versão mais perfeita. E todos ao seu redor viam isso. No meu caso, eu fazia questão de colocar holofotes nessa última face e mostrar às pessoas – mas principalmente a mim – que todos os meus resultados seriam perfeitos.

Diariamente, justificava minhas ações pelo meu alto valor de entrega. Afinal de contas, essa versão de Mulher-Maravilha atraía para mim muitos elogios e admiração. Porém, escondia internamente alguém frágil e sensível que estava quase sempre à beira do colapso. E escondia tão bem que nem eu mesma a reconhecia. Vivia em um autoengano tão poderoso que olhar para mim, sem máscaras, foi sem dúvida a parte mais desafiadora de viver o processo. Enxergar os meus erros e reconhecê-los doeu demais. Admitir que eu não era a mulher que jurava ser foi muito difícil. Não me reconhecia nas minhas falhas, não admitia estar errada. Foi muito difícil descobrir que não possuía só virtudes, e foi muito duro aceitar que, além das virtudes, existiam comportamentos desprezíveis e antagônicos se comparados com a imagem que eu passava para o mundo.

Assim, trarei em seguida alguns dos principais maus comportamentos que eu tinha, as minhas maiores falhas de caráter. Eles falam de feridas que eu carregava em minha alma e que, por consequência, quase destruíram tudo o que era mais importante para mim. Peço, então, que você abra o seu coração e a sua mente para usar a minha história e refletir com humildade sobre a sua. Todos nós temos as nossas jornadas, e é com a minha que você entrará em contato agora. Enquanto estiver lendo, pense sobre como se sente, como se identifica e reflita.

> **Quando não sabemos o nosso valor, invariavelmente, vacilamos suprindo nossas dores emocionais nas fontes erradas.**

Por fim, espero que você não precise chegar aonde cheguei para buscar ajuda e decidir mudar, e que sua escolha de mudança seja forte o bastante para vencer a dor de viver o processo, pois posso garantir: os novos resultados fazem tudo valer a pena. A seguir, listo os comportamentos que as feridas emocionais podem produzir em você e que produziram em mim.

DEPENDÊNCIA EMOCIONAL

A verdade é que, muito bem escondida atrás do escudo da Mulher-Maravilha que eu representava, existia alguém dependente emocionalmente dos seus relacionamentos. Mas, então, o que é a dependência emocional?

Ela é caracterizada por uma dependência afetiva que ocorre nos relacionamentos quando as pessoas têm dificuldade de viver bem sem a presença de alguém específico ao seu lado. A dependência emocional acontece quando você deposita no outro a expectativa de preencher um vazio, de completar sua vida.

Hoje tenho consciência de que, emocionalmente, eu me via como alguém de muito pouco valor, dispensável e substituível. Logo, sempre imaginava que a qualquer momento eu poderia ser traída ou abandonada. Claro que eu não demonstrava ciúmes, afinal de contas, era orgulhosa demais para isso, mas minhas emoções ficavam abaladas, mesmo eu permanecendo em silêncio. Em todos os meus relacionamentos, desde os namoros da juventude, sempre vivi o mesmo padrão de comportamento de dependência emocional, embora fosse uma dependência disfarçada de autossuficiência. A verdade é que eu precisava estar sempre bajulando, sempre querendo agradar demais, sempre sendo legal demais, nunca fazendo nada para desagradar o outro, mesmo que isso significasse ir contra as minhas vontades. Jamais me posicionava, não falava sobre as coisas que o outro fazia que me incomodavam, pois eu precisava sustentar a ideia da namoradinha ideal. Estava o tempo todo, mesmo que sutilmente, tentando convencer o rapaz e a sua família, é claro, de que eu era uma garota muito especial, uma moça "direita", cheia de valor e de virtudes. Como diziam na época, eu era uma bela mocinha de família, daquelas que são para casar. Entretanto, com a maturidade e o conhecimento que tenho hoje, vejo no meu passado e a cada palavra ou atitude que meu objetivo era um só: convencer os outros de que eu tinha valor para que me admirassem e me amassem.

E foi assim que cresci, virei mulher, me casei e formei uma linda família. A mesma dependência emocional, contudo, continuava disfarçada e fazia parte da minha vida. Eu dormia e acordava buscando convencer o Paulo do meu valor e de que eu era uma esposa maravilhosa para ele. Se ele estivesse triste por algo que eu havia feito, por exemplo, minha reação era ficar angustiada e aumentar as bajulações. Fazia isso com surpresas românticas, com bilhetinhos e com muitas atitudes que demonstravam "serviço", sempre ajudando com o que podia e fazendo tudo por ele. E eu justificava essas atitudes dizendo que estava "sempre cuidando" dele. Mas como pode ser tão errado uma esposa servir, cuidar e ajudar? Não há absolutamente nada de errado nisso, se a motivação for correta, que é comunicar amor, respeito e honra ao seu marido. A minha motivação, todavia, era errada. Eu só queria comprar o amor do Paulo e fazer que ele focasse minhas boas ações para esquecer as minhas falhas. Percebe a diferença?

A dependência emocional fazia também que eu repetisse infinitas vezes ao dia: "Eu te amo. E você, você me ama? O quanto você me ama?". Essa cobrança intensa para receber amor e afeto era apenas um dos sintomas que provam que a dependência emocional é tóxica ao relacionamento. Não existe nada de errado em ouvir "eu te amo" do seu parceiro, entretanto, errado é você cobrar constantemente que ele lhe diga isso, pois você não se sente bom o suficiente e precisa de segurança o tempo todo para afagar a dor da carência emocional. E você? Já fez essas coisas?

E sabe por que eu vivi isso? Por que eu me comportava dessa maneira? A resposta está nos meus vícios emocionais e nas minhas crenças. Esses comportamentos de dependência eram alguns dos meus vícios emocionais, que desenvolvi nas minhas experiências da infância e no baixo valor que eu emocionalmente achava que tinha. Afinal de contas, quem sente que não tem valor imagina que a qualquer momento vai ser deixado, né?

Todo viciado sempre encontra uma maneira de alimentar seus vícios, e assim também é com a dependência emocional. Desde a época do início do nosso namoro, se eu ouvia do Paulo que ele iria embora quando o magoava, ou se fazia algo de errado e ele se chateava comigo, afirmando que eu era viciada em bajular e correr atrás, em implorar para que ele ficasse, entrava em um desespero emocional que não tinha nada a ver com a mulher forte e independente que eu era na maior parte do tempo e em todas as outras áreas da minha vida.

Nesses momentos, eu chorava e tentava a todo custo convencê-lo de que meus erros não justificavam a sua reação tão firme. Eu dizia que não tinha feito nada de tão errado para ele, minimizando minhas falhas. Aqui, perceba o meu discurso: nada **tão** errado assim. Lembra-se do muro da defesa verbal para se proteger da rejeição? Pois é. Meu argumento era para convencê-lo de que eu não tinha feito nada de mais. Pedia desculpas, mas, na maioria das vezes, era da boca para fora. E aí está o grande problema da minha vida e o motivo pelo qual eu vivi tantos anos presa nesses vícios emocionais: estava preocupada apenas em convencê-lo de que eu era maravilhosa, mas quase nunca parava para entender o que fazia para viver tantas vezes as mesmas situações, e não buscava aprender com meus erros. Eu não queria, de jeito nenhum, refletir sobre minhas falhas e os meus comportamentos que magoavam o meu marido. Meu objetivo era apenas resolver o problema rápido, acabando com a confusão do momento. Em outras palavras, eu colocava panos quentes nos problemas, queria aliviar a minha dor momentânea, e não aceitava que era a única responsável pelo que vivia. Eu não reconhecia que precisava mudar e vivia completamente presa e cega no autoengano causado pelo orgulho.

Eu era assim. E você? Existem sentimentos e comportamentos na sua vida de dependência emocional? Você sente como se faltasse o chão se está sob a ameaça de perder as pessoas que ama ou quando elas enxergam seus erros?

Lembre-se de que a dependência emocional não existe apenas com o cônjuge. Quando emocionalmente nos vemos como pessoas de baixo valor, imaginamos que podemos ser abandonados ou trocados a qualquer momento. Assim, é muito comum ver consequências também em relacionamentos com os pais, irmãos e até amigos. Uma pista para ajudar você a identificar se está vivendo essa situação é perceber como se sente quando aqueles que lhe são mais importantes estão decepcionados com você por causa dos seus erros e falhas. Outra pista é perceber como se sente quando novas pessoas se conectam com quem você ama. Você se sente ameaçado? Pense sobre isso. Perceba seus sentimentos. Nossos sentimentos revelam muito sobre o que existe de feridas na nossa alma.

NECESSIDADE DE SE SENTIR ADMIRADO

Para mim, essa é a pior de todas as consequências das memórias de rejeição na minha vida. Por eu não ter convicção emocional do meu valor, sempre buscava um modo de chamar atenção das pessoas para mim. Depois que eu reconheci essa falha de caráter em mim, consegui me recordar de que, desde a minha adolescência, eu buscava maneiras de atrair olhares de admiração para mim. Quantas vezes usei roupas provocantes e biquínis pequenos demais para chamar atenção para o meu corpo e, assim, me sentir admirada. Eu não queria de jeito nenhum que esses admiradores chegassem perto de mim, mas gostava de saber que eu tinha despertado olhares. Minha necessidade era de ver que me admiravam, me achavam bonita. Durante o processo de cura, reconheci que vivi a maior parte da minha vida buscando olhares para suprir, na minha imaginação, o buraco que existia em mim.

Quantas vezes entrei em ambientes e fiquei analisando se eu estava sendo observada, se estavam me admirando. Desde a adolescência, esse comportamento lamentável já existia em mim. Hoje escrevo isso com muita dor no meu coração, pois tenho muita vergonha desse comportamento. Essa debilidade emocional quase destruiu o meu casamento e a minha vida. Com esse comportamento eu desonrava e desrespeitava o meu marido, afinal, a traição começa com os olhos. E sabe por que foi tão difícil reconhecer essa falha no meu caráter? Porque eu estava completamente cega. Eu construí uma muralha gigante de proteção na qual me convenci de que eu era uma mulher muito santa. Eu me escondia atrás do discurso da mulher correta que sempre fui. Repetia constantemente para mim mesma e para o Paulo que sempre fui fiel aos meus namorados, que sempre namorei por muito tempo, que nunca bebi ou usei drogas. E todas essas falas eram desculpas para esconder de mim mesma a falha de caráter que existia em mim. Essa falha cruel e desprezível que era fruto da minha baixa autoestima.

Nunca falei abertamente para ninguém sobre essas consequências no meu caráter. Além do Paulo, apenas quatro pessoas ouviram de mim que eu me comportava dessa forma, e foram elas que seguraram a minha mão durante o meu processo de transformação. Você até pode se perguntar por qual motivo estou me expondo assim, e digo a você: sinto em meu coração que é só compartilhando os meus erros, com verdade e humildade, que vou conseguir ajudar outras pessoas a reconhecerem os seus maus comportamentos e entenderem as consequências deles na vida. Meu desejo é que você também abomine seus erros e decida entrar no processo de fortalecimento de quem nasceu para ser, da sua real identidade. Eu e você não somos nossos erros. Nós somos infinitamente maiores do que nossas falhas e pecados. Mas, para isso se transformar em uma verdade, precisamos sair da estrada da mentira, do engano e da manipulação e caminhar em direção à estrada da verdade, da humildade e da coragem. Precisamos fazer o que precisa ser feito. Doa a quem doer. E saiba que vai doer, e doer muito.

Depois que mergulhei nesse caminho de compreensão do comportamento humano e da origem das nossas dores, passei a olhar com tanto amor e tanta misericórdia para mulheres que saem de casa seminuas, exibindo seu belo corpo como se essa fosse a sua maior virtude. Como se seu valor estivesse na sua forma física. Eu olho para elas e vejo meninas machucadas, cheias de experiências em que foram invalidadas, comparadas, abandonadas, traídas, ou cheias de memórias de rejeição que as fizeram acreditar que não têm valor em si mesmas.

Trago um exemplo muito claro do que estou descrevendo aqui. Conheço uma senhora linda que treina na mesma academia que eu e meu marido. Ela deve ter alguns anos a mais que eu, e seu corpo é admirável. Mais bonito do que o corpo de algumas mulheres bem mais jovens. Essa senhora sempre veste roupas muito decotadas, provocantes e que mostram a barriga, usa calcinha fio dental que aparece por debaixo da calça de treino (às vezes, transparente) e sempre atrai muitos olhares. Em certa ocasião, soube de uma empresa de alimentação

O orgulho tem a capacidade de anestesiar a sua consciência, impedindo-o, assim, de reconhecer quem você vem sendo e de se arrepender, de pedir perdão, de aprender e de crescer.

saudável que procurou essa senhora na academia para que ela participasse de uma entrevista falando de estilo de vida e mentalidade saudável. A reação dela deixou completamente clara a imagem frágil e sem valor que tem de si mesma, pois negou o convite para a entrevista ao afirmar não ser alguém capaz de inspirar outras pessoas. Ela alegou que não conseguiria gravar um vídeo, pois estava certa de que não tinha nada para ensinar. Ou seja, aquela senhora não reconhece seu valor e não entende sua capacidade, muito menos seu merecimento. E todo o culto exagerado e exibição do corpo é apenas um consolo emocional para seu ego machucado. Ela reconhece que seu corpo é o que tem de melhor, por isso faz uso dele para atrair olhares e elogios. Agora, imagine como será a vida dessa mulher quando ela envelhecer e não tiver mais seu belo corpo para se sentir importante e admirada.

Agora você conhece a minha história e o que aconteceu comigo, mas sei também que é a história de milhares de outras pessoas, homens e mulheres. Alguns desses indivíduos usam o corpo para se sentir admirados; outros utilizam o dinheiro que têm para chamar atenção; e há aqueles que arrogam ser muito inteligentes, buscando se sentir importantes e amados na vida social agitadíssima, repleta de baladas e farras contínuas.

E você? Qual tipo de disfunção aprendeu a viver para chamar atenção dos outros e, de alguma maneira, se sentir admirado, amado e importante? Quais são os seus comportamentos e escolhas que não combinam com alguém de valor? Escreva sua resposta nas linhas a seguir. Quanto mais você se dedicar a reconhecer esses comportamentos, mais rápido eles sairão da sua vida para sempre.

_____

_____

_____

_____

_____

Agora que você reconheceu esses comportamentos, escreva quais são as consequências deles na sua vida. E quais são os prejuízos que isso já causou e causa até hoje? Seja sincero!

_____

_____

_____

_____

_____

_____

AUTOSSABOTAGEM

A autossabotagem é algo meio louco se você for analisar com cuidado. Como pode alguém racionalmente detestar alguns comportamentos, decidir várias vezes não os repetir mais, porém, de repente, fazer exatamente o que disse que não faria? Por que isso acontece tanto em nossa vida?

Na palavra de Deus, Paulo reflete exatamente sobre esse padrão de comportamento humano. Ele diz em Romanos 7:15-17: "Não entendo o que faço. Pois não faço o que desejo, mas o que odeio. E, se faço o que não desejo, admito que a lei é boa. Neste caso, não sou mais eu quem o faz, mas o pecado que habita em mim".

Assim, chamamos de autossabotagem todos os comportamentos que praticamos e que temos consciência de que não deveríamos praticar. São ações que nos afastam dos nossos objetivos e sonhos em cada área da nossa vida. Comportamentos que não combinam com a pessoa que desejamos ser. Mas as perguntas-chave são: "Por que fazemos isso se queremos tanto viver nossos sonhos? Por que pessoas destroem, com as próprias mãos, seus relacionamentos, sua carreira profissional, sua saúde e suas finanças mesmo desejando muito ter uma vida abundante e feliz?".

A resposta está nos nossos vícios emocionais e na nossa crença de identidade. As nossas experiências do passado, as que aconteceram de maneira repetida ou mesmo as que aconteceram uma única vez, mas sob forte impacto emocional, influenciaram diretamente na formação das nossas crenças sobre quem somos, sobre o nosso valor – e, como consequência, produziram em nós aprendizados. E o mais impressionante é que emocionalmente nossa mente e nosso corpo ficam dependentes da dor, do abandono, da rejeição, da crítica, da injustiça e de tudo mais que vivemos e que produziu memórias fortes em nós.

Eu e o Paulo convivemos durante certo tempo com um jovem muito inteligente, criativo e capaz. Quando nós o conhecemos, ele estava com a sua esposa e seus dois filhos morando de favor em um quarto na casa de parentes. Esse homem teve a oportunidade de ser sócio de uma empresa muito próspera, ganhar um dinheiro que nunca tinha imaginado em sua vida e comprar uma linda casa em um condomínio de luxo para a sua família. Quando as coisas estavam muito bem, ele decidiu sair da empresa, largar tudo que tinha ajudado a construir e que lhe dava todo conforto e segurança para começar do zero e sem recursos um novo sonho profissional. Ele colocou a família em uma situação de insegurança financeira, pois era viciado em recomeçar. Chamamos isso de autossabotagem profissional e financeira. Infelizmente seu casamento não suportou. Depois de ciclos repetidos de recomeços, sua esposa desistiu de seguir vivendo com dificuldades financeiras, se sentindo insegura a cada novo sonho do marido.

Por isso, saiba que todo comportamento de autossabotagem machuca a si mesmo e as pessoas que você ama. E a verdade é que, enquanto não vivermos o processo de cura das feridas emocionais que ainda existem em nós, estaremos vivendo constantemente situações que alimentam nossos vícios e nos conectam com nossos aprendizados do passado, ou melhor, com as dores vividas no passado.

E comigo não foi diferente. Não sou capaz de contar o número de vezes que o Paulo olhou para mim e implorou

IDENTIFIQUE AS CONSEQUÊNCIAS E VENÇA-AS ENQUANTO HÁ TEMPO

> **Mas, depois que caminhei na direção da busca do meu alinhamento emocional e da cura das minhas feridas, ficou muito claro o ciclo de autossabotagem em que eu vivia.**

para eu parar da sabotar nosso casamento. Demorei para aceitar que isso estava acontecendo. No entanto, quando calei o orgulho e analisei meus comportamentos, vi que durante anos e anos de nossa vida, sempre que o Paulo estava feliz, apaixonado, fazia uma declaração de amor para mim, ou quando chegava uma data importante – como o meu aniversário, o Natal, aniversário de casamento e até mesmo na viagem de lua de mel –, eu dava um jeito de magoar meu marido, repetindo velhos erros, coisas pelas quais eu já tinha pedido perdão algumas vezes, comportamentos que havia prometido nunca mais reproduzir. Era algo inconsciente para mim, mas, de repente, lá estava eu fazendo o que não podia e não queria mais fazer. Estava lá novamente tomando atitudes que levariam à destruição do meu casamento, da minha família e tudo aquilo de maior valor para mim. Eu não conseguia entender por que aquilo acontecia. Mas, depois que caminhei na direção da busca do meu alinhamento emocional e da cura das minhas feridas, ficou muito claro o ciclo de autossabotagem em que eu vivia.

Esse ciclo de autossabotagem da minha vida conjugal era assim:

Com a autossabotagem, eu alimentava meu vício de ser criticada, pois, quando errava com o Paulo, ele me exortava e eu me sentia reprovada. Outro vício que eu alimentava era o da dependência emocional e de ter que bajular e pedir perdão. Como o Paulo ficava chateado, eu agia manipulando com presentinhos, cartinhas, flores e todos os mimos e doçuras do mundo para conquistar de novo o amor dele. E aí, quando meu marido já tinha me perdoado e estava feliz e apaixonado, eu dava um jeito de feri-lo novamente para beber do veneno que mantinha meu vício; assim, começava tudo de novo. Eu precisava sempre reconquistar o amor dele. Que loucura!

Esse é um dos exemplos de como a autossabotagem ameaçou a minha vida conjugal, mas quero que você tenha consciência de que ela pode se manifestar em todas as áreas da vida.

Tudo o que você viu, ouviu e sentiu na sua história de vida formou as suas crenças sobre casamento, criação de filhos, dinheiro, prosperidade profissional, sua saúde e relacionamento com Deus. Se não estivermos constantemente vivendo o processo de alinhamento das nossas emoções, sempre encontraremos uma maneira de sabotarmos a nossa vida abundante, aquela que nascemos para viver, e, por consequência, estaremos sempre voltando para o lugar da nossa dor.

E você? Já conseguiu refletir sobre seus comportamentos de autossabotagem? Quero convidá-lo a fazer o próximo exercício. Ele vai produzir em você consciência sobre tudo o que tem feito e que o afasta dos seus sonhos hoje. Lembre-se agora do que o apóstolo Paulo fala no livro de Romanos: o que ele não quer é o que ele acaba fazendo.

Exercício 3

Na tabela a seguir, com a mais pura verdade e humildade em seu coração, escreva na primeira coluna quais são as áreas da sua vida em que você mais se sabota. Uma pista para ajudá-lo: em geral, são as áreas com os piores resultados. Na segunda coluna, escreva qual é o comportamento que você repete mesmo sem querer. Na sequência, registre as consequências desses seus erros, ou seja, quais são as dores que eles causam – consequentemente, essa dor fala de um vício seu. Na última coluna, descreva como você age após repetir esse erro.

QUAIS SÃO AS ÁREAS NAS QUAIS VOCÊ MAIS SE SABOTA?	O QUE VOCÊ FAZ? QUAL É O SEU COMPORTAMENTO?	QUAIS SÃO AS CONSEQUÊNCIAS DESSES COMPORTAMENTOS (DORES)?	QUANDO VOCÊ VOLTA A REPETIR O ERRO?	COMO VOCÊ AGE APÓS REPETIR O ERRO?

IDENTIFIQUE AS CONSEQUÊNCIAS E VENÇA-AS ENQUANTO HÁ TEMPO

A verdade liberta! A consciência que você tem agora sobre o processo de autossabotagem o colocará na posição de ação. Tudo começa com uma decisão sincera, por isso **decida** parar de machucar a si mesmo e as pessoas que você ama. **Decida** parar de recomeçar e **aja** para se livrar dessas feridas. Quando me sentei como aluna do Método CIS©, pude entender a origem das minhas feridas e pude perdoar, ressignificar e começar a minha busca por viver minha identidade linda dada por Deus. Só existe esse caminho para uma vida abundante e alinhada ao nosso propósito.

ORGULHO: O MAIOR DE TODOS OS MUROS

Sem dúvida, a maior de todas as minhas fraquezas emocionais era a dificuldade de reconhecer **verdadeiramente** tudo aquilo que precisava ser mudado em mim. A dependência emocional, a necessidade de me sentir admirada e a autossabotagem só causaram tantos estragos em minha vida porque eu não as reconhecia e não aprendia rápido com meus erros. Na verdade, eu não as aceitava de jeito nenhum. Eu até concordava que errava, mas sempre de maneira muito superficial, da boca para fora, só para acabar o assunto na hora da confusão. Eu tinha um repertório infinito de diálogos internos para justificar para mim mesma as minhas falhas. Nessas explicações, sempre minimizava a gravidade dos meus erros e dos danos causados. Eu tinha uma ótima explicação para cada comportamento errado meu e, sempre que possível, ainda dizia para mim mesma – com os famosos diálogos internos – que o problema estava em quem só enxergava

A **verdade liberta!** A consciência que você tem agora sobre o processo de autossabotagem o colocará na **posição de ação.**

as minhas falhas. Resumindo: os outros eram o problema. Não eu.

Quantas discussões eu tive com o Paulo. Sempre que ele tentava me mostrar meus comportamentos indesejados, sempre que tentava me exortar sobre o que estava vendo de errado em mim, eu usava uma estratégia que é padrão em pessoas que sabem que estão erradas, mas que precisam esconder suas falhas: **negar**. Depois que a negação já não adiantava, eu jurava pela minha vida e pela vida das pessoas que mais amava que não tinha feito nada de errado. E se mesmo assim ainda não tinha sucesso na tentativa de esconder minhas falhas, eu começava a cogitar a possibilidade de que ele tinha alguma razão e dizia que eu realmente tinha errado, que poderia mesmo ter agido diferente, mas que não era da maneira como ele via as coisas.

Ou seja, eu não reconhecia verdadeiramente minhas falhas e por isso não mudava. Meu único objetivo naquelas situações era convencer o Paulo de que ele estava exagerando, de que ele estava fazendo muita confusão por um pequeno erro, uma tempestade em copo d'água, como dizemos. Eu precisava acreditar que era uma mulher maravilhosa e tinha de convencer o Paulo disso, de que minhas falhas não eram tão graves assim. Ou, pelo menos, não da forma como ele estava vendo. Afinal de contas, como alguém que passou a vida inteira se convencendo e convencendo os outros de que era muito especial podia ter esse tipo de atitude?

Sabe o que consegui com essa estratégia? Adiar por muitos e muitos anos a ação de Deus em minha vida e na vida de minha família. Os planos do Senhor estavam presos pela minha arrogância e cegueira. E, por causa do orgulho, adiei demais a minha conexão verdadeira com Ele. Demorei a ouvir d'Ele quem eu verdadeiramente sou, que o meu valor é único e que quando eu errar posso me arrepender, confessar, pedir perdão e seguir sendo uma pessoa valorosa e amada por Ele.

Por causa do orgulho, criei machucaduras no meu casamento que até hoje causam dor no Paulo, em mim e nas pessoas que eu mais amo na vida. Marcas que precisam de mais tempo para perderem a força e deixarem de doer. Se pudesse voltar no tempo, sem dúvida, faria muita coisa diferente. Mas agora me resta o presente para acertar e construir um novo futuro, novas memórias, novos sentimentos e novos significados.

Essa estrutura chamada **orgulho** nasce em nós desde que somos crianças. Basta nos machucarem, que já começamos a vestir a armadura do orgulho e dizer coisas como:

- Ninguém vai mais falar assim comigo!
- Quem essa pessoa pensa que é para me tratar assim?
- Nunca mais serei abandonado por ninguém!
- Vou provar para ele/ela que vencerei na vida.
- Vou mostrar que não sou quem eles falam que sou!

Essas e muitas outras promessas são as armaduras de orgulho que montamos para nos proteger de novas dores, que usamos para esconder uma ofensa, uma mágoa ou uma dor. Entretanto, são promessas que geram sofrimento e nos destroem. O orgulho é uma ferramenta de autopreservação enganosa. Ela vem muitas vezes disfarçada de humildade e, assim, fica ainda mais difícil de reconhecer os prejuízos que causa em nossa vida.

Veja no esquema a seguir como o orgulho nasce em nossa vida e quais são os prejuízos que ele gera.

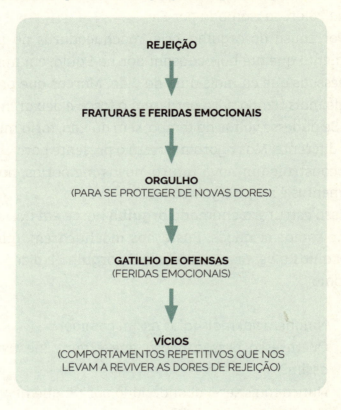

E você? O que o orgulho tem impedido você de viver? O que ele tem dito a você? O que ele tem soprado no seu ouvido que o impede de mudar? Eu comparo o orgulho a um amante, aquele que está sempre dizendo **só o que você quer ouvir**. Para ele, o amante, tudo o que você faz é lindo e perfeito. Para ele, você está sempre perfumado e sempre bonito. Ele vai rir de todas as suas piadas e dizer que você é a pessoa mais inteligente do mundo. Jamais vai mostrar os erros; afinal, ele precisa manter você desse jeitinho, enganando e machucando as pessoas que você ama. O orgulho é exatamente assim: impede que você enxergue quem você tem sido e o que tem feito. Ele leva você à desonra e é por causa dele que você trai e engana aqueles que são mais importantes em sua vida. Por existir em seu coração, você peca, desobedecendo a Deus. O orgulho tem a capacidade de anestesiar a sua consciência, impedindo-o, assim, de reconhecer quem você vem sendo e de se arrepender, de pedir perdão, de aprender e de crescer.

E a palavra de Deus nos ensina sobre isso: "O orgulho vem antes da destruição; o espírito altivo, antes da queda. Melhor é ter espírito humilde entre os oprimidos do que partilhar despojos com os orgulhosos" (Provérbios 16:18-19). Ou então: "Quando vem o orgulho, vem a desgraça, mas a sabedoria está com os humildes" (Provérbios 11:2).

Usando a verdade, a coragem e a humildade, me conte agora: o que o orgulho, o seu amante, tem roubado de você? O que não reconhecer seus maus comportamentos e suas escolhas ruins tem produzido em sua vida? Quais são as feridas que você tem causado em quem mais ama e em si mesmo?

140 VIVA A SUA REAL IDENTIDADE

Falaremos com aprofundamento sobre o orgulho mais adiante, pois ele é uma grande muralha a ser derrubada em nossa vida para que possamos nos conectar com nossa real identidade e termos uma vida de verdade, e não de mentiras, enganos e manipulação.

Neste capítulo, abordamos as quatro piores distorções de caráter causadas pela rejeição na minha vida. Para finalizarmos, gostaria de trazer uma reflexão: e você, leitor, conseguiu refletir sobre sua vida durante a leitura deste capítulo? Conseguiu identificar comportamentos que precisam ser eliminados urgentemente? Então... corra! Pois eu perdi tempo demais. Corra para começar a reconhecer o quanto antes e seguir em direção à mudança de comportamento. Quanto antes você agir certo, mais cedo você se arrependerá, confessará e pedirá perdão pelos seus atos.

É preciso começar a plantar novas sementes certas na sua vida, pois é assim que os bons frutos chegarão mais rápido e a tempestade irá embora, trazendo um novo tempo e uma vida mais feliz. A escolha é sua e a hora de mudar é agora!

5

O GRANDE MOTIVO DO FRACASSO HUMANO: O ORGULHO

odos os problemas que vivemos hoje em nossa vida vêm dessa estrutura chamada **orgulho**. No capítulo anterior, começamos a falar sobre essa condição e agora vamos nos aprofundar um pouco mais no que ela significa em nossa vida.

É um sentimento que se instala em nosso coração e em nossa alma de maneira tão sutil e poderosa que perdemos a consciência sobre os fatos, ou seja, perdemos a consciência de como as coisas efetivamente são. O orgulho passa a funcionar como uma lente por meio da qual olhamos para as pessoas, para as circunstâncias e para tudo aquilo que nos rodeia. O orgulho dita a maneira como eu e você temos agido e reagido, como tomamos nossas decisões e como nos conectamos com os outros, conhecidos ou amados, ou apenas desconhecidos. Ele é como um maestro regendo a orquestra da nossa vida. É algo tão enraizado em nós que não sabemos como começa ou termina, mas acaba se tornando a nossa verdadeira essência se deixarmos. O orgulho distorce e rouba a identidade dada por Deus a nós, adultera nosso caráter, nos tornando mentirosos.

A Bíblia nos conta sobre Lúcifer, sobre como ele foi um querubim criado por Deus, um anjo poderoso e belo, conhecido pela sua luz. Mas o orgulho de Lúcifer o fez querer ser maior que Deus, por isso foi expulso dos céus e da presença do Pai. Vejamos a seguir:

> **Como você caiu dos céus, ó estrela da manhã, filho da alvorada! Como foi atirado à Terra, você, que derrubava as nações! Você,**

que dizia no seu coração: 'Subirei aos céus; erguerei o meu trono acima das estrelas de Deus; eu me assentarei no monte da assembleia, no ponto mais elevado do monte santo. Subirei mais alto que as mais altas nuvens; serei como o Altíssimo'. Mas às profundezas do Sheol você será levado, irá ao fundo do abismo! (Isaías 14:12-15)

Em Ezequiel 28:17, há um trecho que também fala do orgulho de Lúcifer: "Seu coração tornou-se orgulhoso por causa da sua beleza, e você corrompeu a sua sabedoria por causa do seu esplendor. Por isso eu o atirei à Terra; fiz de você um espetáculo para os reis".

É isso que o orgulho faz com a nossa vida. Nos afasta do nosso propósito, distorce a forma como olhamos para nós mesmos, corrompe nosso caráter e nos impede de nos relacionarmos, de verdade, com nosso Pai.

Você deve estar se perguntando: como o orgulho entrou na nossa vida? E a resposta para essa pergunta é o tema que traremos neste capítulo.

A resposta está nas experiências do passado, principalmente durante a infância, nas experiências em que nos sentimos rejeitados. Isso nos mostra que todas as vezes que passamos por circunstâncias em nossa história nas quais nos sentimos abandonados, desprezados, comparados, humilhados, traídos, agredidos, indesejados, culpados, criticados, acusados, não amados, não protegidos, abusados física, sexual ou emocionalmente, fomos desenvolvendo em nossas emoções estratégias de proteção às dores. Chamamos hoje essas estratégias de **orgulho**.

O orgulho chega no primeiro momento como uma solução para não vivermos mais essas dores, cria dentro de nós uma fortaleza na alma que nos impede de vermos as situações com clareza, e corrompe a nossa capacidade de reconhecer nossos erros e falhas. E como vive alguém que não erra? Como é o casamento de quem sempre está com a razão? Como é a vida profissional de uma pessoa que já se acha muito boa no que faz e não entende que precisa melhorar em absolutamente nenhum aspecto? Como são as finanças daquele que pensa saber tudo sobre dinheiro e não aceita orientações de peritos no assunto? Como são as amizades de um indivíduo que está sempre certo? Como é a capacidade de ajudar ao próximo de uma pessoa que já é boa demais e que acha que já faz demais? Como é o relacionamento com Deus de quem jura ter o controle da própria vida, vendo-se como autossuficiente e que não erra nunca?

Se você leu essas perguntas realmente refletindo e olhando para a sua vida, com verdade, eu acredito que algumas fichas estejam começando a cair. Quem sabe esteja, neste momento, começando a aceitar a possibilidade de que existe orgulho em você e reconhecendo algumas consequências dele em algumas áreas da sua vida.

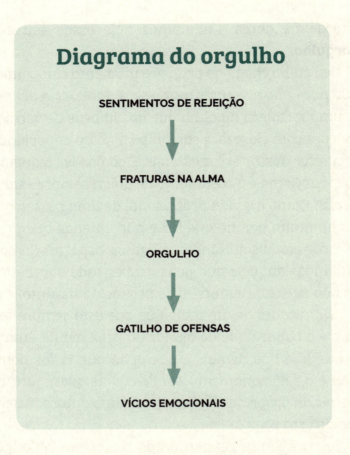

Esse diagrama representa o caminho, o fluxo de formação das nossas estruturas emocionais. Na prática, tudo começa nas nossas memórias do passado e no **significado emocional** que damos ao que nos aconteceu. Experiências felizes, memórias positivas, nas quais nos sentimos amados, importantes e pertencentes, normalmente representam a sensação interna de que temos valor, de que somos amados e merecedores de boas coisas. Se sou uma pessoa especial e valorosa, não preciso me proteger nem me esconder.

Porém, se a memória foi ruim, se sofri com o que me aconteceu, se naquela ocasião me senti alguém sem importância, sem amor, sem valor, se me senti como se não pertencesse àquele lugar e àquelas pessoas, o significado emocional que dei ao que me aconteceu é de que não sou uma pessoa tão boa assim, não faço as coisas da maneira certa (como os outros esperam de mim), por isso não mereço coisas boas. E quando me sinto assim, qual é o comportamento natural? Para não voltar a sentir essas mesmas dores, me escondo e me protejo. Eu visto uma armadura invisível chamada orgulho e passo a andar com ela por todos os instantes da minha vida. Afinal de contas, não quero sofrer mais acreditando que não tenho valor.

O número de vezes em que nós vivemos memórias boas e memórias ruins define a espessura e o peso da armadura do orgulho que estamos vestindo hoje. Quanto maior o número e a intensidade dessas memórias ruins, maior será o tamanho da fratura emocional que existe em você e maior será a intensidade do vício emocional que o coloca em situações nas quais estará sempre revivendo

> **Para não voltar a sentir essas mesmas dores, me escondo e me protejo.**

essas dores do passado. O problema se dá pois, para curar essas feridas e eliminar os efeitos desses vícios emocionais, é preciso se livrar exatamente da arma usada até hoje para se proteger: o orgulho. Ele é o responsável pelo não reconhecimento da mudança que se faz necessária dentro de si.

Imagine uma criança, uma menina, que durante a sua infância viu inúmeras vezes seus pais brigarem, trocarem xingamentos; viu seu pai agredir a sua mãe e abandoná-la, deixando-as sozinhas e sem dinheiro para viver. Essa mesma menina ouviu, muitas vezes, sua mãe dizer que era infeliz, que casamento é ruim e que homens não prestam. Todas as vezes que essa criança presenciou as brigas entre seus pais, ela se sentiu insegura e com medo de ser abandonada, afinal nossos pais são a nossa fonte de segurança e proteção. Pelo menos deveriam ser.

Essa mesma criança pode ter escutado várias vezes a mãe chorar sozinha, infeliz. Talvez a tenha ouvido comentar com as amigas que casamento não é algo bom, que homens não prestam, que tinha se arrependido de ter se casado e que, se não tivesse uma filha, já teria largado o marido, pois parara os projetos profissionais dela e agora se via presa a um casamento infeliz, abusivo, sem dinheiro para se manter sozinha. Certo dia, então, os pais dessa criança a avisam de que estão se separando, e o que a menina mais temia acontece: seus medos viram realidade, e ela vê o pai sair de casa. O convívio com ele, que era diário, passa a ser quinzenal. Em pouco tempo, o pai conhece uma nova pessoa e resolve casar-se. Essa menina, que já tinha vivido a insegurança e o abandono do divórcio, agora se sente traída e trocada pela presença dessa nova mulher.

148 VIVA A SUA REAL IDENTIDADE

O tempo passou e essa menina cresceu, com suas memórias felizes (pois sempre as temos) e suas feridas emocionais. Agora, ela se vê como uma mulher adulta e não consegue entender por que tem tantas dificuldades nos seus relacionamentos amorosos. Por que sente tanto ciúme e insegurança? É como se, a todo tempo, ela pudesse ser traída e abandonada. Ao mesmo tempo que administra esses sentimentos de fragilidade em seu coração, ela se mostra para o mundo como uma mulher forte, independente e bem resolvida. Cresceu repetindo para si mesma que não pode nunca depender de homens, pois eles não são confiáveis. Diz também que precisa ter o próprio dinheiro e que ninguém jamais mandará na vida dela, pois os homens não a merecem.

E aí tudo muda. Ela começa a namorar um rapaz muito legal, mas já "vendia" para ele uma imagem de mulher "superempoderada" e bem resolvida. Em todos os seus relacionamentos, nunca conseguiu se entregar de verdade, pois não confiava em ninguém. Quando se percebia apaixonada demais, dava um jeito de arrumar uma confusão, de deixar o rapaz infeliz a ponto de terminar o namoro.

Mas quem é essa menina? O nome dela é Raquel, ou Joana, Luisa, Maria, Cláudia... Essa história é tão clássica e tão comum que muitos nomes cabem nela. Mas é apenas um exemplo de como as nossas experiências de vida, principalmente da infância, interferem na maneira como vivemos e percebemos o mundo hoje.

Você entendeu? As fichas estão caindo na sua vida?

Volte ao exemplo contado anteriormente e perceba o diagrama do orgulho ditando como será a vida amorosa dessa jovem. O sentimento de rejeição, causado pelas suas memórias de dor da infância, produziu nela uma estrutura de orgulho na qual ela se coloca em uma posição de autossuficiência e arrogância que a impedia de se entregar de verdade a um relacionamento. Os gatilhos de ofensa, de abandono e de traição – como fez seu pai no significado que ela deu a tudo que lhe aconteceu – faziam que ela se sentisse o tempo inteiro sob ameaça, por melhor que fosse quem estava ao seu lado. E como as dores que vivemos no passado produzem em nós vícios emocionais, ela sempre encontrava uma maneira de fazer a pessoa com quem ela estava se relacionando a deixar, alimentando sua crença de abandono e traição.

Mas esse foi só um exemplo, e meu objetivo foi mostrar a você como funciona o orgulho em nossa vida. Vivemos hoje nossos vícios emocionais. E passamos anos após anos repetindo padrões de dor e sofrimento por não reconhecermos que precisamos agir e mudar. E sabe o que nos mantém nessa escravidão de vida, agarrados aos nossos piores resultados? O orgulho! Ele é que nos deixa cegos e paralisados, pois nos impede de reconhecer, se arrepender, buscar ajuda e agir para mudar.

Geralmente, nossos vícios emocionais estão relacionados ao que nos ofende, a tudo que nos traz à tona os piores sentimentos. Sabe aquela situação em que relembramos situações que nos fazem sofrer? É disso que estamos falando. De tempos em tempos, porém, acabamos revivendo uma situação na qual a mesma história se repete, afinal precisamos alimentar nosso vício.

Nossos vícios emocionais e nossas crenças de valor próprio estão estampados em nossa vida. A seguir,

O número de vezes em que nós vivemos **memórias boas** e **memórias ruins** define a espessura e o peso da armadura do **orgulho** que estamos vestindo hoje.

elenquei algumas questões referentes a situações que talvez você tenha vivido. Marque um "X" naquelas para as quais sua resposta for afirmativa.

☐ Você tem muita dificuldade de reconhecer rapidamente seus erros e pedir perdão?

☐ Você é alguém que está sempre pronto para ajudar todo mundo, se dedica muito à vida dos outros e não tem tempo para si mesmo?

☐ Você vive uma busca desesperada pelo sucesso, pelo reconhecimento, por dinheiro, usando a desculpa de que não quer mais passar dificuldades, mas na verdade é movido pela necessidade enlouquecida de mostrar para o mundo e, principalmente, para seus pais que tem valor e que as críticas e acusações que ouviu não são reais?

☐ Você sente muito desconforto em reconhecer que está com problemas e dificuldades e evita ao máximo demonstrar suas franquezas para as pessoas?

☐ Você acredita não ser possível pedir ajuda a outras pessoas?

☐ Você tem muita dificuldade de se posicionar nos relacionamentos, sejam eles profissionais ou pessoais, por medo de não ser aceito, de não ser admirado, por medo de deixar de ser amado, por medo da rejeição?

☐ Você sente dores crônicas em todo o corpo, sem uma causa fisiológica identificada?

☐ Você vive ciclos constantes de problemas financeiros, fases boas que rapidamente vão embora, após as quais se vê endividado, falido, sem dinheiro sobrando e angustiado, pensando em como será o futuro?

Não existe ninguém que, em algum momento da sua história, não viveu uma rejeição; dessa forma, todos temos em nós o orgulho que usamos para nos proteger. Para algumas pessoas, as memórias de rejeição foram mais marcantes, sob forte impacto emocional, e repetidas algumas vezes. Para outras, foram mais leves e sutis, mas existiram. E, se elas existiram, o orgulho está presente em sua vida. Ele foi, e para muitos ainda é, a melhor armadura de proteção contra as dores, produzindo a falsa ideia de blindagem. Doce engano! O orgulho, na verdade, é nosso maior vilão. A maior ameaça contra a vida abundante e feliz que nós fomos feitos para viver.

Como a melhor estratégia para não ser banido da nossa vida é nos fazer acreditar que não existe, o orgulho usa mil disfarces para nos confundir e nos fazer achar que somos humildes, verdadeiros e sábios. Então, relacionei a seguir algumas situações nas quais o orgulho se manifesta de maneira sutil e disfarçada.

Vale lembrar, entretanto, que as próximas linhas vão ajudá-lo a colocar luz e entendimento na vida que você tem levado. O convite é para que você faça o exercício com calma, refletindo e olhando para si mesmo a cada nova afirmação. Lembra-se da verdade, da coragem e da humildade? Se não utilizar esses três atributos, o exercício não funcionará. Você certamente já ouviu falar que a verdade liberta e que a consciência é o primeiro passo para toda e qualquer transformação em nós. Então, meu convite é para que você marque um "X" em todas as situações citadas na lista a seguir com as quais você se identifica.

- Você não gosta de pedir ajuda aos outros e reconhecer que não é capaz sozinho;

- Você fica relembrando o que falou, o que fez e se perguntando: "O que será que estão pensando de mim?";

- Você não vive novos desafios por medo de falhar e parecer incapaz ou tolo;

- Você está frequentemente se comparando com os outros;

- Você acredita que só será amado e admirado se tiver uma ótima performance no que faz;

- Você tem uma autocrítica exagerada, sempre sofrendo por não ter feito do jeito que gostaria, acreditando que o resultado poderia ter ficado melhor;

- Você deseja receber elogios e validações pelos seus acertos, sentindo-se magoado quando isso não acontece;

- [ ] Você mente, disfarça e dissimula para esconder suas falhas e preservar sua reputação;

- [ ] Você tem dificuldade em ouvir as pessoas, não prestando atenção ao que elas estão falando ou interrompendo como se já soubesse o que elas vão dizer antes de chegarem ao fim;

- [ ] Você se sente muito mal ouvindo uma crítica e tem que lutar contra seus sentimentos para reconhecer que está errado;

- [ ] Você se magoa com as pessoas que expõem as suas falhas, pensando que essas pessoas são ingratas e que só olham o lado ruim, sem reconhecer suas virtudes;

E aí, você marcou alguma situação citada anteriormente?

Quero contar uma coisa sobre mim em relação ao teste. Eu estava na Estância Paraíso, pois tinha ido passar alguns dias em atendimento com a pastora Ezenete. Enquanto esperava meu horário com ela, me aproximei de um grupo que participava de uma ministração sobre orgulho. A preletora me convidou para me unir a eles e me entregou um questionário bem mais completo que o proposto anteriormente. Nele, existiam 27 perguntas sobre manifestação de orgulho, para as quais eu deveria responder "sim" ou não". E qual não foi a minha surpresa ao perceber que havia assinalado afirmativamente 24 daquelas questões! Para piorar um pouco a minha situação, ainda adicionei àquela lista mais três situações de demonstrações de orgulho que eu observava em minha vida.

> **E a verdade é o grande antígeno contra o orgulho.**

Você deve estar se perguntando como alguém poderia ser tão orgulhoso. Pois é! Mas acredite: o meu sentimento ao concluir aquele questionário foi de muita felicidade. Eu me senti a pessoa mais livre do mundo ao finalizar o teste, pois finalmente havia permitido que as máscaras e o orgulho que usei na minha vida inteira para me proteger das minhas dores, das minhas fraturas emocionais, dessem lugar à coragem de olhar para mim com **verdade**, reconhecer tudo que estava errado e só assim poder começar um caminho de cura e restauração. Aquele momento de consciência foi tão marcante para mim e tão importante no meu processo de vencer o orgulho que não perco mais nenhuma oportunidade de mostrar para as pessoas que esse é o único caminho para sermos felizes e livres: A VERDADE!

"Todo orgulhoso mente e todo mentiroso é orgulhoso." (Paulo Vieira)

O orgulhoso mente porque precisa esconder dele mesmo e do mundo a pessoa feia e sem valor que ele imagina que é. Embora até abra a boca para dizer que é muito bom, que é fera no que faz, é muito comum esconder o orgulho atrás da mentira e da vitimização. Para um lado (mentira), se mostrando muito bem e independente; ou para o outro (vitimização), em que tudo é orgulho. E a verdade é o grande antígeno contra o orgulho.

E para continuar conduzindo você neste caminho de colocar luz na sua vida, neste caminho de reconhecer a verdade, convido-o para mais um exercício. Não o faça apenas em sua cabeça. Meu convite é para que agora você pegue papel e caneta para escrever, sem pressa, cada uma das reflexões que tiver durante o exercício. Você encontrará uma lista com vários tipos de manifestação de orgulho, e deve olhar para sua vida e identificar se esse comportamento existe em você. Se existir, descreva como você age e em quais situações se comporta assim. Em seguida, meu convite é para que você escreva as consequências que observou em sua vida hoje. Quais são os prejuízos que percebe? Vamos lá!

1. ARROGÂNCIA
   Como você a manifesta?
   Quais são os prejuízos que vive por isso?

2. PREPOTÊNCIA
   Como você a manifesta?
   Quais são os prejuízos que vive por isso?

3. VAIDADE
   Como você a manifesta?
   Quais são os prejuízos que vive por isso?

4. BUSCAR ATALHOS E ESCOLHER SEMPRE O CAMINHO DO MENOR ESFORÇO
Como você o manifesta?
Quais são os prejuízos que vive por isso?

5. ZONA DE CONFORTO
Como você a manifesta?
Quais são os prejuízos que vive por isso?

6. FALTA DE PERDÃO
Como você a manifesta?
Quais são os prejuízos que vive por isso?

7. MENTIRAS
Como você as manifesta?
Quais são os prejuízos que vive por isso?

8. AUTOSSUFICIÊNCIA
Como você a manifesta?
Quais são os prejuízos que vive por isso?

9. INGENUIDADE
Como você a manifesta?
Quais são os prejuízos que vive por isso?

10. DESOBEDIÊNCIA
Como você a manifesta?
Quais são os prejuízos que vive por isso?

11. INSATISFAÇÃO
Como você a manifesta?
Quais são os prejuízos que vive por isso?

12. INGRATIDÃO
Como você a manifesta?
Quais são os prejuízos que vive por isso?

13. IMPACIÊNCIA
Como você a manifesta?
Quais são os prejuízos que vive por isso?

14. DESRESPEITO
Como você o manifesta?
Quais são os prejuízos que vive por isso?

15. DESONRA
Como você a manifesta?
Quais são os prejuízos que vive por isso?

Convido-o agora a ficar em silêncio por alguns instantes, refletindo sobre suas respostas. Qual é o seu sentimento agora, após trazer à consciência tudo o que tem vivido? Qual é o sentimento de lucidez sobre seus comportamentos e os prejuízos que o orgulho causou em sua vida e na vida das pessoas que você ama? É muito importante tentar identificar seu sentimento neste momento de reflexão. Como comentei, o meu sentimento ao fazer o mesmo exercício foi de felicidade e liberdade. Senti como se estivesse cega a vida inteira, vivendo no engano, mas pudesse ver novamente, a partir do exercício, com olhos de verdade. No entanto, é claro que, além de felicidade e liberdade, senti muita dor e culpa, pois pude reconhecer quanto os meus comportamentos estavam destruindo a minha vida e fazendo minha família sofrer.

Assim, convido você a investir mais algum tempo em uma reflexão, escrevendo nas próximas linhas quais fichas caíram e quais são os sentimentos que estão em seu coração agora.

CUIDADO COM O DISFARCE!

O orgulho que existia em mim era cheio de disfarces. Não deve ser diferente com você. Sempre fui muito gentil e educada com todas as pessoas, sempre busquei ser justa, falando com respeito ao próximo e tratando muito bem todas as pessoas, independentemente das diferenças existentes entre nós. Como alguém assim pode ser orgulhosa? Pois é... era tudo mentira. Um belo disfarce para esconder uma armadura de aço que vesti ao longo

O **orgulhoso** mente porque precisa esconder dele mesmo e do mundo a pessoa feia e **sem valor** que ele imagina que é.

da minha vida a fim de me proteger das críticas, injustiças e invalidações.

Essa armadura do orgulho esteve em todas as fases da minha vida. Nunca soube o que era conversar com uma amiga sobre um problema que estava passando, e sempre achei que estaria demonstrando fraqueza e seria julgada se assim o fizesse. Não seria admirada. O orgulho me fez mentir ao longo da minha vida inteira fingindo ser quem eu não era, fingindo que estava tudo bem (mesmo que não estivesse), fingindo ser forte e autossuficiente mesmo morrendo de medo, fingindo ser perfeita mesmo sabendo que estava cheia de falhas no meu caráter. O orgulho colocou em risco o meu maior bem: a minha família. E, portanto, o meu maior objetivo com este livro é tocar o seu coração para que você decida se livrar da armadura que vem usando até hoje e que tem lhe roubado sua verdadeira identidade.

O orgulho o impede de olhar para você com verdade. Ele o aprisiona na mentira. Adultera o seu caráter. Como diz meu marido, Paulo Vieira, todo orgulhoso é mentiroso. E quem é o pai da mentira?

Nossa identidade, aquela perfeita e dada por Deus, quando Ele nos colocou no ventre da nossa mãe, começa a ser manchada à medida que nós começamos a viver a nossa vida. Cada experiência boa e feliz empodera nossa identidade dizendo que somos amados, nos faz nos sentirmos importantes, acreditando que temos valor, que somos aceitos. Da mesma maneira, só que com efeito contrário, todas as nossas experiências de dor, todo sentimento de rejeição, toda crítica, acusação e injustiça, toda a culpa lançada sobre nós nos fez acreditar que não somos tão amados assim, que não somos bons o suficiente, que não merecemos coisas boas. E quanto maior foi o número desses "ataques" à sua identidade, maiores serão os aprendizados para utilizar o orgulho como estratégia de defesa. Por isso o orgulho o mantém preso na distorção da sua identidade.

COMO RESGATO A MINHA REAL IDENTIDADE?

Essa é a pergunta que mais me fazem após eu contar a minha história. E a minha resposta sempre é: o primeiro passo é decidir viver um processo de cura emocional; o segundo, que precisa ser vivido em paralelo ao primeiro, é buscar uma conexão forte e intensa com Deus para que o Pai nos diga quem nós somos para Ele. Hoje, porém, depois de estar há alguns anos vivendo essa busca, tenho a convicção de que existe uma chave que define a velocidade desse resgate. E essa chave poderosa **é vencer o orgulho**.

A base dessa solução está na decisão pessoal de dizer "chega" e reconhecer em quais situações o orgulho tem nos aprisionado. Só dessa forma podemos reconhecer nossas falhas, reconhecer quem de fato estávamos sendo e, assim, ter a chance de nos arrepender, pedir perdão, perdoar e nos conectar verdadeiramente com Deus, pois o orgulho impede essa conexão e nos impede de ouvir d'Ele quem somos e quais os Seus planos para nossa vida.

Essa chave sobre o orgulho foi revelada a mim de uma maneira muito especial em uma convenção de mulheres na nossa igreja em Fortaleza. Durante uma oração, uma senhora, que até então eu não conhecia, apareceu em Espírito e começou a me entregar um comando, uma ordenança. Ela dizia repetidas vezes: "Te humilhas, te humilhas, te humilhas. Quanto mais tu te humilhares, mais eu te usarei. Te humilhas e alinha as tuas emoções". E ela continuava dizendo o que Deus esperava de mim, mas afirmava também que, para que eu pudesse viver esse propósito, precisava me humilhar.

Naquela época, eu já estava havia mais de um ano vivendo meu processo de cura emocional, usando de todas as minhas forças para ser uma nova pessoa, decidida a parar de repetir os comportamentos que estavam destruindo a minha vida. Investindo o meu tempo, o meu dinheiro e, principalmente, meu coração nessa busca. Receber essas palavras, portanto, foi como receber uma chave do céu, deixando muito claro para mim que meu esforço e minha busca adiantariam muito pouco **se eu não me humilhasse**. Se não decidisse todos os dias abandonar o orgulho, mudar meus comportamentos e me conectar com a verdade sobre quem eu nasci para ser.

Essas palavras ecoam nos meus ouvidos até hoje. Sempre que me desvio desse caminho da humildade e que me vejo criando situações ruins que alimentam meus velhos vícios emocionais, escuto a voz em meus ouvidos: "Te humilhas!". E ela funciona como uma exortação para, na mesma hora, eu parar o que vinha fazendo, me arrepender, pedir perdão a Deus e a quem eu tenha magoado, se for o caso, e mudar de atitude. Perceba novamente a sutileza e a profundidade desse comando:

Te humilhas, te humilhas, te humilhas. Quanto mais tu te humilhares, mais eu te usarei. Te humilhas e alinha as tuas emoções.

O que Deus mandou me dizer foi que, se eu me humilhasse, se vencesse o orgulho que dominou a minha vida por tanto tempo, eu conseguiria alinhar as minhas emoções. E o que é alinhar as emoções? É curar as feridas da minha alma. E por qual motivo eu precisaria ser humilde e curada? Para ser usada por Ele, para experimentar a boa, agradável e perfeita vontade d'Ele para minha vida. Para poder cumprir os Seus planos por meio da minha vida na Terra. Então, se me humilhasse, eu me reconectaria com a minha verdadeira identidade. Poderia me despir das mentiras sobre mim mesma e viver a vida que nasci para viver. Lindo demais como Deus faz, não é?

E este livro estar em suas mãos, fazendo milhares de pessoas serem inspiradas a realinhar as suas emoções e a buscarem sua real identidade, também foi

> **E o que é alinhar as emoções? É curar as feridas da minha alma.**

O GRANDE MOTIVO DO FRACASSO HUMANO: O ORGULHO

fruto dessa mesma ordenança de **me humilhar**. Todas as vezes que me humilho publicamente, que abro a minha boca no Método CIS©, com coragem, verdade e humildade, que falo das minhas antigas falhas de caráter, das minhas dores e de como tenho vencido o orgulho e me conectado com meu propósito, eu mostro aos outros que eles também podem e merecem viver o mesmo. O primeiro passo da consciência você já deu. Agora, é necessário tomar uma decisão que não posso tomar por você.

Não vá para o próximo capítulo sem antes dobrar seus joelhos e pedir que Deus, seu criador, revele a você tudo que o orgulho tem dominado na sua mente e na sua vida, bem como as consequências que ele tem gerado para você e para as pessoas que ama. Todos os prejuízos.

Depois disso, de todo o seu coração, eu o convido a pedir perdão ao Pai por todos os anos que você caminhou de braços dados com a mentira, sofrendo e fazendo os outros sofrerem. Peça que Ele lhe dê forças para viver o processo, forças para se humilhar quantas vezes forem necessárias, reconhecendo de verdade as suas falhas e as consequências delas.

Só assim você conseguirá se livrar das mentiras sobre quem você é e conseguirá se conectar com você mesmo, com a sua linda e perfeita versão dada pelo seu Pai. Não desista no meio do caminho. Não abra mão dessa identidade dada do céu para você.

Se preferir, escreva nas linhas a seguir seu pedido de oração ao Senhor, seu Deus e Pai.

O GRANDE MOTIVO DO FRACASSO HUMANO: O ORGULHO

6

É PRECISO VIVER O PROCESSO

Estávamos na nossa casa de praia, durante uns dias de descanso, e, em uma madrugada, por volta das 3 horas da manhã, acordei com o Paulo ao meu lado falando muito alto. Ele repetia as seguintes frases: "Tem que viver o processo! Tem que viver o processo! O fim de um processo é o início do próximo! Tem que viver o processo. Os processos não têm fim!".

No primeiro instante, despertei e imaginei que ele estivesse acordado e falando comigo. Depois que comecei a falar com ele e percebi que o Paulo não me respondia de volta, descobri que estava mesmo dormindo e que não me ouvia. Tentei acordá-lo algumas vezes, mas não consegui. Confesso que fiquei assustada, pois isso nunca havia acontecido – são 21 anos de casados e nunca o vi falar dormindo. Mas, embora assustada, resolvi aquietar meu coração e ouvir atentamente tudo que ele estava falando. Naquele instante, percebi que estávamos recebendo uma direção espiritual por meio dos sonhos do Paulo.

Na manhã seguinte, contei-lhe tudo o que tinha acontecido e ele falou que não se lembrava de absolutamente nada, muito menos do que havia sonhado para falar essas palavras, mas, assim como eu, também teve certeza de que estávamos recebendo uma exortação, uma direção, e que precisávamos entender com profundidade o significado dela e como colocá-la em prática na nossa vida para que pudéssemos levar a mensagem também a outras pessoas. E assim temos feito. Não demorou muitos minutos para que entendêssemos que o processo a que o Paulo se referia enquanto dormia se tratava do processo que eu vinha vivendo na minha vida, iniciado no dia 5 de agosto de

É PRECISO VIVER O PROCESSO **169**

2017, quando ele olhou para mim e disse que não aguentava mais o nosso casamento. O processo que me fez buscar um novo e verdadeiro relacionamento com Deus, que me fez levantar a mão pela primeira vez na vida e pedir ajuda a alguém, que me fez abrir meus olhos para tudo que existia de errado em mim e nos meus comportamentos e me fez confessar que eu não era tão perfeita como sempre fiz questão de mostrar que era. Esse processo tem tirado de mim, dia após dia e até hoje, a forte e traiçoeira armadura do orgulho. Todo dia cai um pedaço dela e posso me conectar mais e mais com a Camila de verdade, a Camila que um dia Deus planejou que eu fosse.

E sei que preciso me manter nesse processo. Ele não tem fim e, que quando eu já estiver forte o suficiente e resistente ao que me ameaça nas minhas emoções, sei que será a hora de começar um novo processo. Para cada estação da vida precisamos de um novo processo.

MAS O QUE É UM PROCESSO?

Processo, por definição, é um termo que indica a ação de avançar, ir para a frente, e é um conjunto sequencial e particular de ações com um objetivo comum.

Se fizer um paralelo entre a definição de processo relatado anteriormente e o que eu disse que fiz quando Paulo me falou que queria desistir do nosso casamento, você vai perceber que realizei uma série de ações: buscar um processo de cura e restauração espiritual na Estância Paraíso com a pastora Ezenete; fazer o coaching individual com a Margô Rahhal; sentar-me como aluna pela primeira vez no Método CIS©; ler livros e mais livros de cura emocional;

criar hábitos de intimidade diária com Deus; entre outras. E toda essa sequência que passei a realizar tinha como único e exclusivo objetivo descobrir o que havia de errado para que eu estivesse à beira de um divórcio, sob ameaça de perder tudo que tinha valor para mim. Perder minha família, meu casamento, ver meus filhos sofrerem no meio de tudo aquilo e saber que a responsabilidade seria minha. Eu entrei nesse processo com todas as forças que existem em mim, pois a dor e o constrangimento de imaginar tudo isso acontecendo eram muito maiores do que a dor de quebrar a vaidade, vencer o orgulho, a vergonha e o medo de me expor e reconhecer que eu precisava mudar, e mudar rápido.

Então, para entrar no processo, precisei da dor e da ameaça de perder algo que para mim é muito precioso. E aí aproveito para lhe perguntar: o que você precisa viver? O que precisa perder ou que dor falta experimentar na sua vida para decidir passar por cima do orgulho? Pelo que precisa passar para admitir que existem coisas em você que precisam ser tratadas e aceitar viver o processo?

Pense nisso!

COMO VIVER O PROCESSO E SOBREVIVER A ELE?

Sempre que tenho oportunidade, faço questão de deixar claro que costuma doer – e muito – viver o processo. Pelo menos no início, esse desafio é bem grande. Afinal de contas, dói mesmo olhar para sua vida e admitir que tudo que está ruim é responsabilidade sua; admitir que os problemas no casamento são decorrentes de suas falhas

> **E a dor de decidir viver o processo o leva a um lugar de abundância. Para isso, porém, é preciso entrar no processo e sobreviver a ele.**

como esposa ou esposo, de sua falta de paciência, afeto, sexo ou seu desrespeito e desonra em relação ao seu cônjuge. Dói muito ver as dores que seus filhos vivem hoje, isolados no mundinho deles, conectados com o celular e os games, mas distantes de você. Dói perceber seus filhos com comportamentos de rebeldias, andando talvez com más companhias e, pior, sendo infelizes, e admitir que você é responsável (por ação ou por omissão) por tudo isso que está acontecendo. Então, para viver o processo, você vai precisar ter convicção de que enfrentará o desprazer de vivenciar sua dor em troca do fim do sofrimento que você já experiencia hoje, por não vivê-lo. Entendeu? Dores você já vive. A questão é que essa dor está levando sua vida, dia após dia, para um lugar de ainda mais dor. E a dor de decidir viver o processo o leva a um lugar de abundância. Para isso, porém, é preciso entrar no processo e sobreviver a ele.

Mas atenção: cuidado para não se sabotar já no início. Vigie suas emoções e seu diálogo

interno. Eles estão acostumados à vida atual, na qual são viciados, e vão sempre tentar manter você nesse lugar comum.

Para viver e sobreviver ao processo, existem três chaves fundamentais sobre as quais falaremos a seguir.

1. Atenção! Você só muda a si mesmo

Antes que você fique aí se questionando, imaginando e louco para me perguntar por que eu estava trazendo sobre mim 100% da responsabilidade dos problemas pelos quais estávamos passando no nosso casamento, como se o Paulo não tivesse nenhuma falha, quero lhe dizer que sou 100% responsável sobre o que me acontece, e o Paulo é 100% responsável pelo que acontece a ele. Sendo assim, eu sou 100% responsável por buscar restaurar meu casamento. E, da mesma forma, o Paulo é 100% responsável por agir para mudar o que ele desejar na vida dele. Entendeu como funciona? Cada um de nós decide, ou não, por viver seu processo. Eu só posso me responsabilizar por viver o meu, o Paulo só pode se responsabilizar por viver o que ele acha que precisa viver na vida dele e você só pode se responsabilizar por viver o que acha que deve viver na sua. E, em se tratando do meu casamento, quando comecei a viver meu processo, já sabia dos meus erros e estava sentindo na pele as consequências deles.

O principal pressuposto da autorresponsabilidade diz que ninguém muda ninguém e que todo mundo tem a vida que merece. Cada um tem o casamento, o dinheiro, a vida profissional, a saúde (salvo fatalidades) e o relacionamento com Deus que merece. O casamento que você tem hoje é um retrato das suas escolhas, dos seus comportamentos consigo e com seu cônjuge, do que você sabe e do que ainda não sabe. Então, se seu casamento é fruto das suas ações, eu não posso mudar essas ações por você. Só você consegue virar esse jogo.

Se eu tenho a vida que mereço, e se sou a única capaz de mudar a mim mesma, eu preciso canalizar toda minha atenção, minha força e coragem para transformar tudo que existe em mim que tem me colocado nesse lugar de dificuldades, problemas e dores. Só assim verei mudanças.

Embora eu conhecesse e vivesse o processo da autorresponsabilidade em muitas áreas da minha vida, tenho que confessar que eu, por muitas vezes, burramente, agia tentando manipular os sentimentos do Paulo por mim. Achava que conseguiria disfarçar a mágoa que existia no coração dele pelas minhas falhas e a forma como ele estava me vendo. Para a situação ficar mais cômoda, eu tentava minimizar a dor que ele sentia no seu coração por tudo que já vivemos, mas claro que isso era autoengano meu. Obviamente, não está ao meu alcance, nem ao alcance de mais ninguém, mudar a forma como o outro está se sentindo. Eu busquei meu processo de mudança, e só o Paulo podia viver o processo dele. Só ele podia mergulhar em uma sequência de ações e decisões para entender por que ele estava vivendo essa dor no casamento e como sarar as feridas que eu lhe causei. E, para os curiosos de plantão, ele fez isso... ele também mergulhou no seu processo e, graças ao seu esforço incansável e a sua capacidade de perdoar, nós estamos vencendo.

Contei essa história para que entre no seu coração, de uma vez por todas, que nós somos incapazes de acessar as memórias de outras pessoa, tentar remover nossas falhas, de manipular sentimentos e, como se fôssemos uma borracha, apagar tudo que fizemos de errado para pararmos de colher as consequências. Da mesma forma, ninguém pode fazer isso com as nossas memórias. Só nós podemos imergir em uma ressignificação com o que nos aconteceu, perdoar, aprender, mudar e crescer como seres humanos.

Esse é o primeiro passo para você começar a viver um processo. Entender que você é o único ponto de transformação que busca. Qualquer que seja a área da sua vida que hoje está precisando de cuidados, que hoje produz dor em você e nas pessoas que ama, a solução obrigatoriamente passa por você. A vida que deseja só acontecerá se você viver o seu processo. TEM QUE VIVER O PROCESSO!

2. Não pule do barco

O segundo passo, tão importante quanto o primeiro, é aprender a resistir às adversidades durante o processo. Quantas e quantas vezes me senti esmagada emocionalmente por tudo que estava acontecendo à minha volta. Eu dizia a mim mesma e aos meus mentores que seguravam minha mão que parecia que, quanto mais fundo eu ia na restauração da minha identidade e na cura das feridas que existiam na minha alma, mais as coisas ficavam difíceis ao meu redor. Quanto mais eu mergulhava nas mudanças que precisava viver, quanto mais buscava alinhar as minhas emoções, quanto mais tentava quebrar o orgulho, mudar meu caráter e ser mais parecida com o modelo de mulher que eu acreditava agradar a Deus, maiores pareciam se tornar os gigantes que eu tinha de vencer todos os dias. Não sei se você já se sentiu assim, porém tenho que confessar que, por várias e várias vezes, pensei em desistir. Eu pensei em abandonar o barco. E sabe por que não fiz isso? Sabe por que não desisti de tudo? Porque quanto mais eu vivia o meu processo, mais conseguia entender que eu não era aquela pessoa que estava na iminência de perder o casamento. Que meus comportamentos errados não me definiam.

Quanto mais eu investia em intimidade com Deus, mais eu aprendia do Seu amor e do Seu perdão, e mais eu ouvia o que Ele dizia a meu respeito, colocando-me na posição de uma filha amada. À medida que minha identidade ia se fortalecendo, eu ia conseguindo ir mais fundo no entendimento das feridas que ainda existiam em minha vida – e, o principal, onde elas nasceram – e podia, por meio dos processos de restauração da minha inteligência emocional que eu também estava vivendo, ressignificar o que tinha vivido. Fui aprendendo a alinhar as minhas emoções, como um dia Deus me mandou fazer, e começar a viver uma história nova com essa nova mulher chamada CAMILA.

Hoje, compreendo que alinhar as emoções é exatamente aprender a utilizar as emoções certas, nas ocasiões certas, na forma e na intensidade correta. À medida que fui evoluindo no autoconhecimento e entendendo como me comportava emocionalmente em diversas situações, eu pude, de maneira consciente, escolher a emoção que eu queria usar, e isso para mim foi muito libertador.

Aprendi a usar a minha paciência com meu marido e meus filhos como nunca tinha conseguido, diminuindo as confusões e as mágoas que antes eu provocava. Da mesma forma, aprendi a ser impaciente e intolerante com

O principal pressuposto da **autorresponsabilidade** diz que ninguém muda ninguém e que todo mundo tem a **vida** que merece.

comportamentos e atitudes dos outros contra os quais antes, por ter necessidade de ser aceita e receber aprovação de todos, eu não me posicionava. Dessa forma, consigo deixar muito claro o que eu tolero e o que não aceito mais viver, e faço isso de modo respeitoso e gentil.

Viver o processo de cura emocional me faz aprender a amar o próximo, a ser generosa, a ser tolerante com as diferenças e, principalmente, a ser misericordiosa. Eu lembro quantas vezes orei pedindo a Deus que colocasse no meu coração mais amor pelas pessoas, e só vivendo o processo pude experimentar esse amor e essa empatia. Hoje consigo me colocar no lugar do outro, me sensibilizar com sua dor e ajudá-lo, sem querer absolutamente nada em troca, do jeitinho que eu tinha pedido a Deus. Ele queria atender a minhas orações, mas antes eu precisava de cura, eu precisava viver o meu processo.

Esses são alguns dos incontáveis ganhos que tive por não abrir mão de vivê-lo, por ter enfrentado a dor e o desprazer de olhar para o que existia de mais feio em mim, por reconhecer as consequências dos meus erros, fossem cometidos com intenção, fossem cometidos sem intenção, mas *meus* erros. E, principalmente, por ter um dia dito **CHEGA** e decidido entrar no processo.

Meu marido diz que se você quiser ir rápido a algum lugar, deve ir sozinho, mas se quer ir mais longe, chegar a lugares altos e especiais, vá acompanhado. Durante o meu processo, foi fundamental ter pessoas me conduzindo, não me deixando perder o foco, me mantendo olhando para o alvo do que eu tinha decidido viver na minha vida. Então, recomendo que você escolha aqueles que possuam autoridade, que já venceram algo parecido na vida e que amam pessoas, para serem seus mentores, influenciadores e guias nesse caminho. Você pode tê-los pertinho de si, ou apenas se alimentar do conteúdo deles por meio de cursos, livros e imersões, mas acredite, você precisa deles, do jeito que eu precisei para me manter no barco. Você merece ter essas pessoas e irá muito mais longe se elas estiverem com você.

3. O PROCESSO NÃO TEM FIM

Esta é a terceira chave, tão poderosa quanto as duas anteriores, que você precisa compreender: o processo não acaba nunca. Entenda que ele faz parte da sua transformação, do seu crescimento como ser humano. O processo de buscar a mudança de mentalidade não tem fim. Nós nunca estaremos prontos.

E talvez neste exato momento você esteja pensando assim: *Camila, quer dizer que você me manda viver o processo, me fala que vai doer, e doer muito, que em alguns momentos eu vou querer desistir, mas que jamais posso parar no meio do caminho? Camila, você está dizendo que eu preciso ter mentores para me conduzir no processo e que todo esse esforço nunca terá fim? É isso mesmo, Camila, que você está me dizendo?*

E aí? Adivinhei os seus pensamentos?

Minha resposta para você é SIM. É exatamente isso que estou querendo dizer a você. Na nossa vida não existe ficar parado. Não há a possibilidade de você estacionar em um certo estágio da vida e achar que vai conseguir manter os resultados que tem hoje se permanecer aí quietinho, fazendo todos os dias as mesmas coisas, ainda que

É PRECISO VIVER O PROCESSO **179**

> **Ele queria atender às minhas orações, mas antes eu precisava de cura, eu precisava viver o meu processo.**

elas sejam certas e que no passado já tenham lhe proporcionado bons resultados. Gosto de dizer que não tem como permanecermos em platôs. Com as nossas escolhas e ações diárias, ou evoluiremos, aprendendo, crescendo, ou regrediremos, desaprendendo, involuindo. Isso quer dizer que, se pararmos de pedalar a bicicleta, ela vai cair.

Obrigatoriamente, todos os dias, estamos nos movendo em alguma direção. Nossas decisões, as pessoas com quem nos conectamos e os lugares que frequentamos têm o poder de influenciar nos resultados que temos na vida. Se fizermos boas escolhas e escolhermos com sabedoria as pessoas e os lugares, certamente nos manteremos no fluxo de crescimento. O inverso também é verdade.

Vamos imaginar que, por um tempo, você viveu um determinado processo de transformação, no qual se dedicou para vencer dificuldades e conquistar uma vida mais feliz. E você chegou lá! Você mudou, aprendeu, cresceu e celebrou essas conquistas durante

180 VIVA A SUA REAL IDENTIDADE

um período da sua existência. O tempo passou, você se acomodou, parou de buscar aprender e crescer; relaxou no que já tinha conquistado, tanto no âmbito material, como no emocional ou espiritual, e por isso parou de investir tempo e energia para evoluir. Você imaginou que o que vivia já estava bom e parou de buscar a Deus na intensidade e com a verdade que buscava enquanto vivia o seu processo. Parou de renovar sua mente com livros, cursos, vídeos e com a Palavra do Pai. Talvez por ter passado a se achar bom o suficiente ou por ter se conformado com a vida que estava levando, soltou a mão dos seus mentores, das pessoas que o provocavam a ser melhor a cada dia e agora anda sozinho.

Se você está se identificando com essa descrição, se em algum momento da sua vida abandonou o fluxo de crescimento, parando de viver o processo, preciso alertá-lo sobre o que vai acontecer com você. Saiba que é só questão de tempo, e eu arrisco dizer que de pouco tempo, para as coisas começarem a dar sinais de novos problemas, ou de notar os velhos problemas ressurgindo. Não tem jeito. O processo não tem fim. Se parar, você vai cair. Se você parar de viver o processo, se parar de agir com sabedoria e de fazer as decisões certas todos os dias, de se conectar com as pessoas certas e de estar nos lugares certos, o velho homem[5] ressurgirá das cinzas e começará a lhe causar estragos.

Em 1 Coríntios 10:12, a Bíblia nos alerta dizendo: "Aquele que julga estar firme, cuide-se para que não caia!".

---

5 Na Bíblia, a expressão "velho homem" refere-se a um estado passado, a uma natureza anterior. (N.E.)

Para cada novo dia, para cada estação, para todo ciclo novo da nossa vida, existe uma demanda sobre nós, e essa nova demanda nos exigirá novos conhecimentos, novo preparo, nova mentalidade. Exigirá um novo e mais aperfeiçoado nível de estrutura emocional e de fé. Amo lembrar que Deus mandava para Seu povo, enquanto estavam no deserto, todos os dias, um maná novo, que servia apenas para aquele dia. Ainda é assim na nossa vida. Para cada tempo existe uma nova porção, uma novidade que vem do Senhor para nossa vida. E uma porção nova que depende de nós, do nosso agir. Para viver o tempo da promessa, para vivermos a vida abundante e a plenitude, precisamos fazer o que precisa ser feito sempre.

O povo inteiro ficou preso no deserto, apenas Josué e Calebe entraram na terra da promessa. E não acessaram o novo tempo que estava preparado por Deus para eles porque não aceitaram viver o processo. Não aceitaram abrir mão da velha mentalidade de escravo, não se permitiram mudar a forma de falar, pensar e agir. Não quiseram viver a transformação que os levaria a acessar o melhor tempo de todos . O tempo da liberdade.

Esse exemplo do povo judeu fala de como é com a nossa vida hoje. A nossa mente precisa ser renovada. Não existe liberdade com mentalidade de escravo. Em Romanos 12:2, lemos: "Não se amoldem ao padrão deste mundo, mas transformem-se pela renovação da sua mente, para que sejam capazes de experimentar e comprovar a boa, agradável e perfeita vontade de Deus". O processo tem que ser vivido e ele não tem fim.

Lendo isso tudo, olhando para sua vida e suas escolhas até aqui, quais fichas caem?

Escreva aqui nestas linhas: que processo você sabe que precisa começar a viver na sua vida, mas que até hoje não iniciou? Ou em que momento você, por achar que já era bom o suficiente, que já sabia o bastante ou que não queria mais viver a dor do processo, pulou do barco e hoje tem colhido as consequências? Escreva aqui as decisões que você toma hoje para voltar a viver o processo.

_____

_____

_____

_____

_____

_____

_____

_____

7

A CULPA E O LUGAR DE PRISÃO E AUTOSSABOTAGEM EM QUE ELA NOS COLOCA

Depois do orgulho, o maior sabotador da nossa vida é a culpa.

Quando você acredita que já venceu seus maiores desafios, já caminhou muitas léguas no seu processo de cura das feridas emocionais que existiam em sua vida, já vê até as suas mudanças e sente o novo tempo chegando. A atmosfera já mudou. As coisas já estão mais leves, existem mais sorrisos no seu dia, você já voltou a sonhar, já está cheio de projetos e andando dia após dia na direção deles. Já agradece a Deus por não ter desistido do seu processo de mudança e por ter acreditado que conseguiria construir, com seus novos comportamentos, um casamento mais feliz, uma vida financeira de liberdade, filhos fortes e felizes, paz em sua casa e sentimento de plenitude. Porém, de repente, como se em um piscar de olhos, acontece algo que traz à tona tudo de volta. Toda a dor do passado, frustração, medo, acusação e que fazem arder no seu coração novamente a culpa.

Você já sentiu isso? Já se viu em uma situação como essa?

O trecho que você acabou de ler foi retirado de uma carta de desabafo que eu fiz para mim mesma e para Deus, em um domingo em família, na casa de amigos muito queridos, que tinha tudo para ser um dia muito feliz, mas no qual de repente me vi novamente em meio à dor. É como se o fantasma dos meus erros do passado estivesse sempre ao meu redor esperando uma oportunidade para me expor, me acusar e me fazer lembrar de quem eu fui. Nesses momentos, um turbilhão de pensamentos perturbam a minha mente. Meu diálogo interno passa a ser meu maior inimigo. Frases como: "Não adianta, Camila, você vai sofrer para sempre pelo que você já errou. Será que isso não vai acabar nunca? O que ainda existe em você de errado que a faz viver essas situações? Você devia desistir... pule logo do barco e comece uma nova história em que não existam memórias da velha Camila. Você será sempre lembrada pelos seus erros do passado! As coisas que fez vão causar dor em você e em quem a feriu para sempre. Você não pode mudar o que passou...". E, assim como esses pensamentos, muitos outros ficam perturbando a minha mente e tentando ferir meu coração, levando-me de volta para a cadeia da prisão da culpa.

Enquanto escrevo estas palavras, lágrimas escorrem pelo meu rosto, pois só eu sei o preço que ainda pago pelo passado. E só eu sei a luta que tenho de travar contra a minha mente, uma verdadeira batalha, para calar as vozes de acusação e de falta de esperança e me posicionar para não abrir mão da nova vida que já conquistei – e, principalmente, da nova mulher que me tornei.

Resolvi contar isso a você neste livro pois sei também que essa é a maior ameaça que sofro para manter o meu foco em viver o processo, em agradar a Deus com a minha nova vida e em cumprir o meu propósito. E se isso acontece comigo, é possível que também aconteça com você quando estiver passando pelo seu processo. E, assim como eu não pulei do barco e estou aqui lhe escrevendo, quero alertá-lo sobre essa armadilha chamada culpa e sobre o poder devastador que ela tem em nossa vida.

A CULPA

A culpa é um sentimento que existe sempre que reconhecemos que nossos atos do passado causaram algum tipo de dano ou prejuízo aos outros ou a nós mesmos.

Esse sentimento é até importante no início do nosso processo de mudança, pois, quando sentimos culpa, sentimos o peso da responsabilidade pelo que fizemos de errado. Nesse momento, então, paramos de encontrar desculpas e de culpar os outros pelas nossas falhas, reconhecendo que quem errou fomos nós.

Você já aprendeu aqui que essa consciência e a autorresponsabilidade sobre nossos atos são o primeiro estágio de quem decidiu mudar, por isso a culpa tem alguma virtude. Por meio dela, conseguimos olhar para nossas escolhas do passado, reconhecer suas consequências e entender que precisamos mudar. Reconheço que a culpa foi muito importante para eu ter forças para viver a dor e o desprazer de olhar para minha vida, tirar todas as máscaras e mentiras que usei para enganar os outros e a mim mesma sobre quem eu vinha sendo, descobrindo tudo que vinha causando dor na minha vida e na das pessoas que eu mais amo. Porém, essa mesma culpa que me ajudou a viver o processo é uma forte e perigosa ameaça.

O QUE A CULPA FAZ COM A GENTE?

A culpa reforça em nós uma crença de não merecimento. E, por não merecermos, sempre que as coisas estão ficando boas para nós, daremos um jeito de causar um problema para vivermos nossas dores do passado novamente.

> **Às vezes não repetindo mais os velhos erros, mas deixando de fazer o que precisa ser feito, passam a não mais agir certo, se sabotando, para não serem felizes.**

Pense comigo. Alguém que errou, machucou os outros, pecou, desagradou a Deus, fez coisas ruins e causou dor nas pessoas que mais ama acha que merece ser feliz? A resposta é NÃO. Ele pode até falar com a boca que merece, sim, ser feliz, mas se, no coração dele, ainda existir culpa, se emocionalmente não se vir como merecedor, vai sempre encontrar uma maneira de se sabotar e de não ser feliz.

Então, por esse motivo é tão comum vermos pessoas dando um jeito de voltar para seu lugar de erro do passado. Às vezes não repetindo mais os velhos erros, mas deixando de fazer o que precisa ser feito, passam a não mais agir certo, se sabotando, para não serem felizes. Afinal de contas, suas emoções, suas crenças e sua culpa lhes dizem que não merecem ser felizes.

Vou lhe contar uma história para exemplificar como a culpa produz atos de sabotagem e nos afasta da vida extraordinária.

Eu convivi com uma família de cinco pessoas: o casal Roberto e Fernanda e seus três filhos, dois meninos mais velhos e uma menina menor. Quando conheci essa família, ela tinha data marcada para acabar, pois o divórcio era a única solução que a Fernanda via para colocar um fim no seu sofrimento diário. Ela já tinha definido quando sairia de casa com as três crianças, e a carta que ia deixar para o Roberto estava pronta. Além disso, aquela mulher já havia escolhido um novo lugar para morar. Roberto era um homem bom, porém cheio de maus comportamentos. Viciado em álcool, adúltero, saía do trabalho na sexta-feira ao meio-dia e só reaparecia no domingo à noite, fedendo a bebida e a sexo. A esposa vivia à base de remédios tarja preta para controlar a ansiedade, para dormir e para acordar; as crianças estavam cheias de problemas de comportamento causados pela ausência do pai e pela dor da mãe. O filho do meio não queria se aproximar mais do Roberto, alegando que ele era mau e que fedia. Mas a história dessa família ia viver uma transformação.

Certo dia esse homem foi levado, muito a contragosto, pela sua irmã para o Método CIS© e lá começou um forte e belo processo de resgate da sua identidade. À medida que foi sendo apresentado aos conceitos de inteligência emocional e vivendo os exercícios de reprogramação de crenças que o Paulo aplica dentro do Método CIS©, foi reconhecendo tudo que existia de ruim na sua vida e nos seus comportamentos. Decidiu, então, mudar. Esse homem pediu perdão à esposa e aos filhos, e dedicou uma atenção especial ao resgate do relacionamento com o filho que não gostava de ficar perto dele. Os filhos passaram a não dar mais trabalho na escola, mudando de comportamento. A esposa aos poucos voltou a sorrir e eles passaram a ter uma casa verdadeiramente feliz. Porém, ainda existia algo nesse homem que o aprisionava no lugar da dor dos erros do passado. A culpa!

Um dia, eu estava conversando com ele e o questionei por estar sendo omisso em não se posicionar com seus filhos. Ele estava fechando os olhos para algumas atitudes do garoto mais velho, negligenciando os estudos, bebendo, exagerando em festas e andando com garotas que não tinham os mesmos valores da família. E quando perguntei por que ele não estava cumprindo seu papel de pai de colocar limites no seu filho, de dizer não e exigir obediência, ele me disse: "Camila, eu não consigo! Eu até tento, mas eu não consigo. Eu ainda sinto muita culpa por toda dor que já causei na vida deles, por isso não me vejo no direito de impor limites e dizer não". Aquele homem tinha consciência de que estava falhando como pai, sabia que o que o filho estava fazendo era errado e que esse comportamento lhe traria problemas, mas a culpa o impedia de agir certo. A culpa fez isso comigo. A culpa pode fazer isso com você. Ela nos mantém reféns do nosso passado.

Quando esse pai de família não se posiciona, deixando de colocar limites na formação do caráter do seu filho, ele está se autossabotando, não fazendo o que sabe que precisa ser feito e atraindo mais erros e mais dor para sua família. A família que ele lutou tanto para não perder e para reconquistar estava agora sob uma nova ameaça, conduzida a novas dores pela sua omissão causada pela sua culpa dos erros do passado. É dessa forma que a culpa age em nossa mente e nas nossas emoções, nos fazendo errar, nos trazendo nova dor, nos desviando do processo de transformação e nos roubando a vida abundante que um dia o Pai nos prometeu.

A autossabotagem é a maior consequência da culpa na nossa vida no âmbito emocional, mas também existem consequências dela na nossa vida espiritual.

Em Salmos 32:1-3, o Rei Davi diz:

> **Como é feliz aquele que tem suas transgressões perdoadas e seus pecados apagados! Como é feliz aquele a quem o Senhor não atribui culpa e em quem não há hipocrisia! Enquanto eu mantinha escondidos os meus pecados, o meu corpo definhava de tanto gemer. Pois dia e noite a tua mão pesava sobre mim; minhas forças foram-se esgotando como em tempo de seca.**
>
> **Então reconheci diante de ti o meu pecado e não encobri as minhas culpas. Eu disse: "Confessarei as minhas transgressões", ao Senhor, e tu perdoaste a culpa do meu pecado. Portanto, que todos os que são fiéis orem a ti enquanto podes ser encontrado; quando as muitas águas se levantarem, elas não os atingirão.**

Aprendemos que existe um caminho quando erramos, e esse caminho precisa ser percorrido sempre que cometemos falhas. Davi fala que, enquanto ele não reconheceu os próprios erros, seus ossos secaram...

Os passos para nos livrarmos da culpa e gerarmos cura e transformação em nossa vida são os seguintes:

- Reconhecer nossos erros (sem explicações ou justificativas);
- Arrepender-nos do que fizemos (verdadeiramente sentir a dor do seu erro);
- Confessar (abrir a boca e falar do erro para quem magoamos e para Deus);
- Pedir perdão a quem ferimos e a Deus (olhar nos olhos, e pedir perdão);
- Mudar nosso comportamento (não repetir o erro).

Fazendo isso, a Palavra nos diz que Ele é fiel para nos perdoar, e que Jesus levou sobre si nossas transgressões, nossa culpa. E que o castigo que estava sobre nós Ele levou sobre si.

Todas as vezes que permito que o sentimento da culpa volte a me atormentar, estou espiritualmente abrindo espaço para o acusador interferir na minha vida. Você sabe quem é o acusador? A palavra satanás significa acusador. O inimigo de Deus é o acusador da nossa vida.

Antes de continuar com a leitura deste livro, pare alguns minutos para refletir sobre sua vida. Que erro você cometeu ou ainda tem cometido? Para abandonar esse erro, é preciso passar pelo processo de reconhecê-lo, se arrepender dele e confessá-lo. Aproveite este momento para fazer isso. Tenha uma conversa agora com Deus. Diga para Ele, em voz alta, que erro é esse. Fale com detalhes. Deixe seu coração sentir constrangimento nessa confissão. Abra seu coração ao Pai do céu. Diga a Ele sua decisão de mudar e não voltar mais a viver isso. Peça-Lhe que o ajude a se manter na obediência e que cale a voz da culpa na sua mente e no seu espírito.

Antes de continuar com a leitura deste livro, pare alguns minutos para refletir sobre sua vida.

Descreva nestas linhas como foi esse momento para você. Como se sente agora, depois dessa decisão? Fale aqui dos seus sentimentos.

DOMINE O SEU DIÁLOGO INTERNO

Enquanto eu escrevia aquela carta de desabafo para mim mesma e para Deus, pude perceber o quanto o diálogo interno na minha mente me colocava no lugar de acusação. O quanto a minha mente, **no momento da dor, da ofensa e da mágoa**, estava sendo usada pelo acusador. Tudo que eu ouvia eram palavras de invalidação e de falta de esperança. A voz dizia: *Camila, por mais que você mude, nunca será reconhecida como essa nova mulher! Você vai sempre ouvir sobre o quanto seus erros fizeram mal às pessoas que você ama! Desista! Diga "chega" para tudo isso e parta para outra!.*

E aí eu pergunto a você: se não tivesse uma vida firme com o Senhor, se não buscasse intimidade com Ele todos os dias, se não tivesse discernimento espiritual para entender que essas vozes não são de Deus para minha vida, onde eu estaria hoje? Certamente eu já teria aberto mão do meu casamento, da minha família e da minha decisão de ser todos os dias mais parecida com o projeto original de Deus para mim. Se não soubesse o que o Pai diz a meu respeito, eu não suportaria viver o processo e já teria dito não aos planos d'Ele por meio da minha vida. E este livro não estaria nas suas mãos hoje.

Quantas pessoas, por se sentirem culpadas, sabotam a vida todos os dias, sendo tolas, destruindo tudo com as próprias mãos, se matando um pouco a cada dia e matando os planos de Deus.

Os tipos de autossabotagem mais comuns, que nos fazem morrer um pouco a cada dia, estão listados a seguir. Esses comportamentos são como uma forma de autopunição, produzida pela culpa que atormenta a nossa vida, seja consciente ou inconsciente. Então, para ajudar a trazer consciência, marque um "X" ao lado de cada um desses comportamentos de autossabotagem caso eles existam na sua vida hoje – ou se já existiram e você hoje ainda sofre as consequências deles.

Como se matar um pouco todos os dias

- PROCRASTINAÇÃO
- VÍCIO EM BEBER
- VÍCIO EM COMER
- SOLIDÃO
- VITIMIZAÇÃO
- FALTA DE POSICIONAMENTO
- NÃO IMPOR LIMITES NOS SEUS RELACIONAMENTOS
- SOBRECARGA DE RESPONSABILIDADES NO DIA A DIA, ASSUMINDO PARA SI PAPÉIS E RESPONSABILIDADES DE OUTRAS PESSOAS
- HÁBITO DE LAMURIAR E RECLAMAR
- DESCONTROLE FINANCEIRO
- APRISIONAMENTO EM SENTIMENTOS TÓXICOS (INVEJA, RANCOR, MÁGOA, MEDO E CIÚMES)

Lembre-se de que a consciência liberta. E sempre que parar para olhar para sua vida com verdade e com humildade e reconhecer o que ainda precisa de transformação, você se aproximará da sua real identidade, do plano original de Deus para você, do que o Senhor quer fazer no mundo por meio da sua vida. Não pule do barco! Não abandone o processo, mesmo com as dificuldades. Fique atento às vozes que o querem afastar da vida que você nasceu para viver. Não deixe a culpa e a voz do acusador roubarem os sonhos de Deus para você. Não negocie o inegociável. Estamos juntos nessa jornada, e não vou largar a sua mão.

Agora que você identificou a culpa que ainda insiste em lhe acusar, bem como os prejuízos dela na sua vida por meio dos comportamentos de autossabotagem, você deve estar se perguntando como nos livramos disso, certo? Como anulamos a culpa em nosso coração e como paramos de destruir a nossa vida por não entendermos que merecemos ser felizes? O perdão é o caminho a ser percorrido.

8

O PERDÃO E A COMUNICAÇÃO DE AMOR COMO O COMBUSTÍVEL PARA FAZER TUDO NOVO

Gostaria de começar este capítulo contando o que aconteceu comigo recentemente. Tinha acabado de me mudar de Fortaleza para São Paulo e estava emocionalmente sensível com tudo o que a mudança representava em minha vida: ficar, pela primeira vez, longe do convívio dos meus familiares, dos amigos da vida inteira, da cidade em que nasci e que amo e do estilo de vida que construí. Para completar o meu estado emocional fragilizado, 72 horas depois que cheguei a São Paulo, testei positivo para covid-19, junto com meus dois filhos mais velhos, a Júlia e o Mateus. Depois disso, além de estar sensível com a mudança, acabei me vendo isolada e com medo, preocupada com a possibilidade do agravamento da doença.

Esse estado de fragilidade me levou a um lugar de retrocesso do meu controle emocional que jamais poderia imaginar ser possível. Para minha surpresa, esse cenário funcionou como um solo muito fértil para reviver velhas batalhas que jurava já ter vencido. Sentimentos que acreditava que não existiam mais, ou que já estavam completamente sob controle e que jamais causariam problemas novamente na minha vida. Afinal de contas, estava nesse processo de fortalecimento emocional havia alguns anos, curando as minhas feridas emocionais e buscando viver de acordo com a minha real identidade. Porém, para minha triste surpresa, foram necessários poucos dias nesse "solo fértil" para que eu sentisse minhas emoções ficando desalinhadas e, pior, começasse a ver velhos sentimentos e vícios emocionais se manifestando nos meus comportamentos e pensamentos.

Quando tive consciência do que estava acontecendo, peguei o telefone e liguei para a minha coach, dizendo-lhe que precisava urgentemente de ajuda. Precisava entender qual foi o gatilho emocional que eu acessei de uma única vez, voltando a hábitos dos quais tinha lutado tanto para me livrar.

Naqueles dias eu estava mais impaciente, mais grosseira e intolerante. Me magoava com facilidade. Estava sendo uma mulher pouco sábia, não sabendo a hora certa de calar e sem conseguir ouvir as pessoas como elas merecem. Situações bobas do dia a dia estavam promovendo em mim um ambiente de estresse. Qualquer coisa virava uma confusão, uma chateação. Junto com tudo isso, entrei em um estado de vitimização forte no qual meu diálogo interno era o pior possível, típico de uma vítima sofredora. Ouvia meus pensamentos sempre encontrando uma justificativa para meus erros e responsabilizando os outros pelo que estava sentindo naqueles dias.

Como pode? Como pode tudo que eu acreditava já ter tirado da minha vida estar ali, bem na minha frente, ou melhor, dentro de mim, e sem deixar que eu assumisse o controle da situação?

Finalmente chegou o dia da nossa sessão de *coaching* e eu disse para a Margô: "Amiga, pelo amor de Deus, me ajuda! Como pode? O que está acontecendo comigo? Que retrocesso é esse?". E ela, com muito amor e habilidade, ficou calada só me ouvindo contar o que estava acontecendo. Quando terminei, ela me fez algumas perguntas poderosas de sabedoria, que é como costumamos chamar as perguntas feitas no processo de coaching. Parei para refletir sobre essas perguntas antes de responder e, nessa reflexão, acessei muitas e muitas memórias. Memórias de situações que vivi e que me fizeram sentir exatamente como estava me sentindo naqueles dias. Lembranças do passado que eu nem recordava ter vivido, muito menos como havia me sentido na época em que aconteceram. Mas eram situações que me causaram dor e que eu não tinha perdoado verdadeiramente. Ali estava a origem do que acontecia comigo emocionalmente naqueles dias: a falta de um perdão verdadeiro. A mágoa, o ressentimento e o rancor guardados em mim, mesmo que de maneira inconsciente, faziam que eu, mais uma vez, destruísse a alegria e a harmonia da minha casa e da minha vida. Que loucura!

O Paulo diz: "Todos os nossos problemas vêm de um estado de não perdão".

A falta de perdão é como um câncer que vai crescendo silencioso. No início ele é desconhecido e não produz nenhuma dor aparente, mas, à medida que cresce, começamos a ver os seus efeitos na nossa vida: uma pequena dor aqui, outra pequena dor ali; um desconforto aqui e um mal-estar de vez em quando. O problema é que, se demorarmos para descobrir que o câncer existe, os seus prejuízos e estragos serão enormes e, algumas vezes, irreparáveis.

Naquela sessão de *coaching*, respondendo às perguntas feitas pela Margô, fui levada a momentos da minha infância nos quais vivi situações de medo, não me senti protegida e cuidada pelo meu pai, o primeiro homem e amor da minha vida. Recordei momentos em que me senti muito frágil, insegura e exposta a situações a que uma menina não deveria ser exposta. Possuía feridas emocionais causadas por essas memórias e não tinha consciência delas ainda. Mesmo com todo o processo já vivido, não havia acessado essas memórias específicas e não reconhecia os prejuízos que elas estavam provocando em mim, nas minhas emoções e no meu relacionamento com o homem da minha vida, o meu marido. Descobri que as minhas dores da infância, ou seja, época em que tudo nasceu, não estavam todas perdoadas, fazendo-me transferir para meu marido, inconscientemente, essa mágoa e ferindo-o para me "vingar". Mas a mágoa não era dele. Ele apenas alimentava na minha vida o meu vício emocional do passado.

Nós temos tido todos os meses, dentro do treinamento do Método CIS©, acesso a milhares de histórias de vida de pessoas que vivem hoje pagando um alto preço pelas coisas que experienciaram no passado. E posso afirmar que eu não conheço ninguém que não tenha alguma marca emocional dessas experiências de dor vividas na infância. Elas fazem parte da condição humana e, em algum momento, foram importantes para nos fazer ser mais fortes, resilientes, determinados e ousados no agir. Porém, cada história de vida é única e as experiências que cada um viveu também. O meu objetivo aqui é fazer você olhar para o que não está legal na sua vida hoje e ensinar-lhe o caminho de compreensão para o momento em que essas disfunções nasceram, e, principalmente, como minimizar as consequências ruins delas.

A seguir, relaciono alguns exemplos de situações que nós podemos ter vivido em nossa infância, as quais produzem em nós sentimento de rejeição, a crença de que não temos valor e não somos amados e aceitos.

Essas memórias de rejeição, se não forem perdoadas, nos fazem viver várias disfunções em muitas áreas da nossa vida.

Peço que você faça novamente o exercício que fez no início deste livro, mas agora com um olhar mais consciente, buscando realmente trazer à memória momentos da sua vida em que possa ter vivido algumas dessas situações. Se conseguir, recorde como se sentia quando essas coisas aconteciam. Qual é o sentimento? Lembre: a verdade liberta! Quanto maior a sua consciência sobre a sua realidade, maior a capacidade de agir e mudar. Então, com verdade e coragem, marque um "X" nas situações a seguir que você viveu na sua infância e/ou adolescência dentro da sua casa.

- [ ] Você veio de uma gravidez indesejada;
- [ ] Sofreu abandono de pai/mãe (intencional ou não);
- [ ] Presenciou brigas no casamento dos seus pais;
- [ ] Viu adultério entre seus pais ou soube de algo a respeito;
- [ ] Presenciou o sofrimento dos pais;
- [ ] Recebeu muitas críticas;
- [ ] Ouviu palavras de acusação sobre você (trazendo-lhe culpa);

☐ Foi humilhado com palavras ou atos (no privado ou publicamente);

☐ Foi comparado (com o irmão, com o vizinho, com primos ou até mesmo com os pais);

☐ Ouviu palavras de invalidação (denegrindo a sua identidade e a sua capacidade);

☐ Foi abusado sexualmente;

☐ Viveu agressões físicas, castigos exagerados, surras;

☐ Sentiu falta de amor, falta de toque físico e carinho;

☐ Foi tratado com impaciência e grosseria;

☐ Conviveu com bebidas e/ou drogas no seu lar.

Se você marcou alguma dessas situações, quero que saiba que muitas das coisas que vive hoje em sua vida adulta vêm dessas memórias. Quando passamos por experiências como essas, entendemos, emocionalmente, que não somos bons o bastante, que não somos capazes, que não merecemos ser felizes e que fomos rejeitados. E essas memórias emocionais são as origens dos nossos problemas e das dificuldades na nossa vida adulta. Quando entendemos emocionalmente que não somos amados do jeito que deveríamos, vamos adulterando nossa identidade original dada por Deus e aprendendo subterfúgios para fugir de novas situações que nos fazem reviver a dor. O problema é que esses subterfúgios estão ligados ao orgulho e à mentira e adulteram o nosso caráter, nos afastam mais e mais de quem nascemos para ser e só nos produzem mais dor. E você sabe por que produzem mais dor? Porque, emocionalmente, não conseguimos entender como as pessoas que mais amamos no mundo, que existem para nos proteger, podem nos machucar. Então, junto com o sentimento de rejeição, nascem a mágoa, o rancor e o ressentimento por aqueles que mais amamos na vida. E essa é a verdadeira origem de todas as nossas dores. A mágoa, o rancor e o ressentimento é o que faz nossa vida ser de altos e baixos, de perdas constantes, de dificuldades nos relacionamentos, de desafios financeiros e até de problemas de saúde e emocionais.

Nós fomos feitos em amor e para amar. A mágoa, o rancor e o ressentimento, esses três sentimentos, funcionam como uma barreira física, como uma grande e intransponível muralha na nossa alma, impedindo que o amor flua. O amor que produz vida, que produz cura e que sara as feridas da alma, fica represado nos muros da mágoa, do ressentimento e do rancor, e nos faz adoecer.

Vou demonstrar para você, em forma de diagrama, como funcionam nas nossas emoções as feridas na alma ligadas à rejeição. São dois diagramas, cada um com uma abordagem específica.

Nesse desenho, eu mostro a você como funciona, na nossa estrutura emocional, o fluxo dos sentimentos causados pela rejeição. Se na sua vida existem memórias nas quais você não se sentiu amado, ou se sentiu humilhado, traído, acusado, abandonado, abusado e não protegido pelas pessoas que deveriam cuidar de você, hoje você tem raízes de rejeição na sua vida. E essas raízes, além de terem adulterado suas crenças sobre si mesmo, plantaram no seu coração mágoa, rancor e ressentimento por essas pessoas. Por mais que você as ame muito e, em alguns casos, até tente negar que existe mágoa, esses sentimentos são emocionais e não são resolvidos ou eliminados pelo fato de você negar racionalmente que existem.

Com o sentimento de rejeição e mágoa no seu coração, você passa a olhar para esses indivíduos como "algozes" e para você como "vítima" do seu passado e da vida. Essa maneira de olhar para o outro e para si se estende para todas as outras pessoas da sua vida (cônjuge, filhos, sócios etc.) que, de alguma forma, "toquem" na sua ferida. E caso se veja como vítima, como já aprendeu nos capítulos anteriores, você não se responsabiliza pelas suas escolhas ruins, e passa a vida culpando os outros pelos seus fracassos e frustrações, sem jamais parar para aprender. Além disso, se você é vítima, se não reconhece quando erra, você não muda. A vitimização, por sua vez, o mantém na autossabotagem dia após dia, trazendo-lhe problemas conjugais, financeiros, de relacionamento, com os filhos e em todas as outras áreas da vida, inclusive dificuldades de relacionamento verdadeiro com Deus. Atenção: vitimização é uma forma de demonstração de orgulho! Observe o segundo diagrama.

Quero chamar a sua atenção de maneira especial para esse segundo diagrama. Nele, eu demonstro outra consequência muito comum nas pessoas cujas memórias de rejeição estão associadas à culpa. Memórias da infância em que elas foram muito criticadas ("Você não faz nada direito!", "Fica calado! Você até calado está errado!", "Deixa de ser preguiçoso!") e em que foram muito acusadas ("Se você não existisse, eu não estaria mais casada com esse homem que só me faz sofrer!", "Eu me mato de trabalhar para sustentar a casa e você só me causa problemas!", "Se não fosse por sua causa, eu não estaria passando por essa dificuldade. Não sei onde eu estava com a cabeça quando inventei de ter filhos!"), além da vitimização, as fazem carregar na alma uma culpa cruel que as pune constantemente. Outro tipo de experiência que promove muita culpa é ter vivido em um lar no qual a mãe ou o pai sofreram muito e a criança queria desesperadamente aliviar a dor deles. Como não conseguiu, cresceu se sentindo incapaz e culpada.

Vou contar a você uma história. Há algum tempo, conheci uma jovem senhora, a Maria, casada e com dois lindos filhos. Maria veio conversar comigo pedindo ajuda. Ela dizia que vivia tomando decisões, fazendo planejamentos, investindo em treinamentos para adquirir novos conhecimentos, mas não conseguia agir. Ela me confessou que todos os dias montava uma agenda, mas não conseguia cumprir nada dela. Maria afirmava que a procrastinação era muito mais forte que ela e que, hoje, se sentia uma mulher infeliz e frustrada. Que até em seu casamento já decidira colocar um fim, mas a procrastinação não a deixara mandar o marido embora. Começamos a conversar

Nós fomos feitos em amor e para amar.

e foram necessárias apenas duas perguntas para entender onde nasceram essa angústia e essa inércia. Maria foi abandonada pelo pai quando ainda não tinha nascido, e sua mãe sempre comentou como era difícil criá-la sozinha, reclamando e dizendo o quanto estava infeliz com aquela situação. Quando Maria tinha 12 anos, o pai apareceu, mas foi só para trazer ainda mais sofrimento para as duas. Maria cresceu se sentindo rejeitada pelo pai, um fardo na vida da mãe e o motivo pelo qual esta era tão infeliz. Para a situação de culpa ser ainda pior, quando Maria tinha 25 anos, já casada e com seus filhos, sua mãe cometeu suicídio.

Pense comigo: quem é culpado merece ser feliz? Quem é culpado merece ser amado de verdade por alguém? Quem é culpado merece prosperar? Quem é culpado consegue fazer o que tem que ser feito para ter sucesso? Quem é culpado merece ter um casamento feliz? E essa era a origem das dores da Maria. Ela, por emocionalmente entender que não era amada e que era a razão de todas as dores da pessoa mais importante da sua vida, sua mãe, sentia sobre si a culpa dessa situação e se punia todos os dias procrastinando, deixando tudo o que precisava ser feito por fazer e, assim, construindo uma vida medíocre e infeliz, como ela entendia que merecia. Por mais que, racionalmente, ela comunicasse o contrário, a crença era de alguém sem valor e a culpa na sua alma fazia a vida dela ser só de autossabotagem. Essa é a história da Maria. E qual é a sua?

Quando você acredita emocionalmente que não é amado, que o seu valor não é tão grande e que ainda é culpado pelas coisas ruins que aconteceram contigo e com as pessoas que ama, você passa a não merecer viver coisas boas. E, para não viver coisas boas, você dedica a sua vida inteira a dar um jeito de se punir, de sofrer. Essa autopunição pode acontecer de várias formas. Você se pune procrastinando, deixando para depois as coisas que precisam ser feitas hoje para conquistar seus sonhos e, por procrastinar tanto, vive de altos e baixos na sua vida profissional, sempre administrando problemas financeiros. Quem sabe você use a comida, a bebida e as drogas para se punir, destruindo sua vida e seus relacionamentos. Uma outra forma muito comum de autopunição é se relacionar com gente errada, aqueles que vão lhe causar muita dor. Qual é a estratégia de autossabotagem que você tem usado na sua vida que o tem feito morrer um pouco a cada dia?

Se o diagrama da mágoa, rancor e ressentimento faz parte da sua vida, fique atento, pois você, sempre que as coisas começarem a melhorar e se sentir feliz e realizado, vai encontrar uma forma de fazer escolhas erradas e voltar para aquele lugar de punição e não merecimento, lugar no qual os culpados merecem viver. Forte né?

E aí? Me conte: ao olhar para esses dois diagramas, quais fichas caíram para você? Qual deles representa mais a sua vida? Ou será que você se identificou com os dois? Na minha vida, eu vivi as más consequências dos dois tipos de memória. Eu me colocava como vítima pela mágoa que tinha escondida no meu coração do "algoz" que me fez sofrer; além disso, também me colocava como culpada, trazendo em meu peito muitas mágoas de mim mesma pelos meus erros. Sentia muita culpa. Ou seja, vivia uma vida de profunda autossabotagem e posso afirmar, com conhecimento de causa, como são cruéis e devastadores esses dois ciclos de autossabotagem causados pela mágoa e pelo ressentimento em nosso coração.

Como toda transformação passa primeiro pela consciência, convido-o agora a escrever nas linhas a seguir quais fichas caíram para você sobre o que leu neste capítulo até aqui. Quais têm sido as suas estratégias de autossabotagem? Quais são os prejuízos que você tem hoje na sua vida por estar agindo assim? Quais formas de autossabotagem você está usando para se matar um pouco a cada dia?

AGORA QUE ENTENDI, COMO ME LIVRO DISSO?

Muito bem, Camila, agora entendi o que as minhas memórias de dores do passado estão gerando de problemas hoje pela mágoa, pelo rancor e pelo ressentimento que existem em minha alma por essas dores vividas, mas como posso acabar com isso? Como posso parar de viver uma vida de autossabotagem e de problemas? Como posso interromper esse fluxo de problemas e dor?

A resposta é **perdoando**. Só com o perdão verdadeiro você anula o ciclo de autossabotagem que vive hoje.

O QUE É E O QUE NÃO É O PERDÃO?

Perdão não é um acontecimento, perdão é um processo.

Perdão é um movimento constante, consciente e intencional que não tem fim. Quanto maior a dor causada na sua vida, mais longo e intenso precisa ser o processo do perdão. Perdoar não significa que você vai esquecer o que lhe aconteceu, afinal de contas, memórias não podem ser apagadas do nosso cérebro. No entanto, à medida que você perdoar, não ficará mais pensando no que lhe aconteceu. Perdão não é fechar os olhos para os erros e para os maus comportamentos dos outros. Ao contrário, é perdoar as pessoas, apesar de suas falhas. O perdão é uma decisão. Perdoar é escolher ser livre. É decidir pôr um fim na autossabotagem e na vida cheia de limitações e disfunções.

O peso da falta de perdão em nossa vida é tão severo que a Bíblia nos exorta por meio de muitas passagens sobre a importância de perdoarmos e as consequências da falta de perdão.

Em Marcos 11:25,26 temos a passagem: "E quando estiverem orando, se tiverem alguma coisa contra alguém, perdoem-no, para que também o Pai celestial lhes perdoe os seus pecados. Mas se vocês não perdoarem, também o seu Pai que está no céu não perdoará os seus pecados". Veja que só somos perdoados por Deus se formos capazes de perdoar quem nos feriu. Em Mateus 18:21,22 Jesus nos diz que devemos perdoar nossos irmãos que erram contra nós 70 × 7. Perceba o detalhe: Jesus nos manda perdoar a mesma pessoa tantas vezes. Ou seja, perdoarei várias vezes e a pessoa pode continuar a errar comigo, pois preciso continuar perdoando. Ainda sobre perdoar repetidamente a mesma pessoa, em Lucas 17:3,4 Jesus diz: Tomem cuidado. Se o seu irmão pecar, repreenda-o e, se ele se arrepender, perdoe-lhe. Se pecar contra você sete vezes no dia, e sete vezes voltar a você e disser: 'Estou arrependido', perdoe-lhe". Em Mateus 6:14,15 temos: "Pois se perdoarem as ofensas uns dos outros, o Pai celestial também lhes perdoará. Mas se não perdoarem uns aos outros, o Pai celestial não lhes perdoará as ofensas".

O que essas passagens nos dizem é que precisamos estar prontos para perdoar todas as vezes que alguém nos ferir e que essa é a única forma de sermos perdoados por Deus pelas nossas falhas e de sermos livres. É a única maneira de interrompermos as dores e os problemas que vivemos pela falta de perdão.

Posso falar, com a autoridade de quem vive o processo de perdão há alguns anos, o quanto é desafiador dar o primeiro passo em direção ao perdão e o quanto é desafiador se manter no estado de perdão 70 × 7. Mesmo sendo desafiador, porém, esse é o único caminho. E como meu compromisso com você neste livro é seu resultado real na vida, vou agora segurar na sua mão e o conduzir, passo a passo, nesse caminho do perdão. Eu sei que você vai conseguir, não importa o que aconteceu. Você é capaz de fazer isso por você. Sim, por você! O perdão o liberta para ser feliz, e você merece ser livre.

Os próximos passos desta leitura serão dados para conduzi-lo nesse caminho e para que você possa entender que perdão não é apenas uma opção, mas uma ordenança, e que existem recompensas sempre que decidimos obedecer a Deus.

O CAMINHO A SER PERCORRIDO 70 × 7

1. Tem poder na sua decisão. Decida!

Você sabe o que significa o vocábulo poder? Poder é uma palavra de origem latina que significa **ser capaz de**. Poder é a capacidade de agir, de exercer autoridade e a soberania. E a palavra decidir? Você já parou para pesquisar o significado dela? Decidir significa **resolver**.

Na hora em que, independentemente do tamanho da sua ofensa, da sua dor e do tamanho do mal que lhe fizeram, você decide perdoar, está acessando a **capacidade de resolver**.

O primeiro passo para quebrar a maldição da autossabotagem na sua vida, causada pela vitimização e pela culpa, é decidir perdoar. Nesse primeiro momento, tudo o que você precisa é de uma decisão racional. É você pensar que merece ser feliz e que não aceita mais viver no meio de problemas, confusões, dores e infelicidade. É você construir na sua mente, de maneira prática e objetiva, o seguinte raciocínio: se para mudar essa situação de dor que vivo hoje eu preciso perdoar, então eu **decido** perdoar.

Vou contar outra história. Eu e o Paulo tivemos contato com um homem muito especial, uma autoridade no seu segmento profissional, conhecido nacionalmente pela sua relevância no que fazia. Um grande homem de Deus, que chegou até nós por meio de amigos em comum que o amavam muito e que estavam vendo a vida dele indo embora aos poucos. Ele tinha vários problemas de saúde e ainda lutava contra um câncer grave havia alguns anos. Quando se sentou para conversar com o Paulo durante uma sessão de *coaching*, confessou que sabia que estava doente e que acabaria morrendo pela dor que existia dentro da sua alma. Paulo lhe fez algumas perguntas e chegou à raiz do problema: falta de perdão ao seu pai. Perguntou-lhe se sabia que o que o estava adoecendo era o ódio que guardava do seu pai. Na mesma hora, prontamente, aquele homem disse que sabia disso e que, sempre que tocava no assunto, a saúde piorava. Olhou nos olhos do Paulo, então, e disse: "Sei que estou morrendo, mas **não quero perdoar**". Racionalmente, usou o poder da decisão para o não perdão, para seguir destruindo a sua vida, morrendo um pouco mais a cada dia, sentindo dores físicas profundas e sem conseguir usufruir do tempo que ainda lhe restava, pois o corpo estava cheio de limitações. Ele fez uma escolha! Não perdoar também é uma decisão. Com as más consequências, mas é uma decisão.

Eu e o Paulo tivemos ao seu lado um tempo de qualidade e ele nos contou que, sempre que pensava na possibilidade de decidir perdoar, ouvia seu diálogo interno, a voz de seus pensamentos, narrando todos os erros cruéis cometidos pelo pai contra a mãe, contra ele e seus irmãos. Ele ouvia um discurso de vítima, no qual responsabilizava o pai por tudo de ruim que já tinha lhe acontecido. E o discurso mental de vítima sofredora o mantinha doente, aprisionado e morrendo. "Sei que esse câncer vem da mágoa, mas não quero perdoá-lo", dizia ele.

A maior cilada para o processo de decidir perdoar é a historinha de vítima sofredora que você conta para si mesmo e para os outros. Nesse diálogo interno, em que você entrega sua vida e seu futuro nas mãos das pessoas que o magoaram, tira de si toda a autorresponsabilidade e as chances de transformar a ofensa vivida em um impulsionador do seu crescimento. Mais uma vez, é tudo uma questão de consciência sobre suas memórias de dores do passado e as consequências delas na sua vida hoje, bem como uma decisão poderosa por construir uma nova história.

Vamos então começar a agir? Vamos decidir entrar nesse processo de perdoar 70 × 7 e ver nossos comportamentos, nossos sentimentos e nossa vida sendo transformados dia a dia? Sei que talvez a dor esteja ainda muito viva no seu coração, mas pior do que essa ofensa é a dor de se perceber destruindo sua vida todos os dias com as próprias mãos, sofrendo e magoando aqueles que ama. Então, vamos dizer um "chega" e entrar no processo.

Escreva a seguir as suas maiores dores da infância. O que aconteceu? Quem foram as pessoas que mais o machucaram? O que elas fizeram com você? Não economize verdades nesta atividade. Deixe doer, mas coloque para fora tudo o que está machucando sua vida até hoje.

218 VIVA A SUA REAL IDENTIDADE

Guarde isto no seu coração para sempre: **"Não importa o que me aconteceu. O que importa é o que eu decido fazer com o que me aconteceu"**. Mais uma vez, perceba: é uma questão de decisão. Uma ação consciente e intencional de escrever um novo fim para o filme da sua vida.

2. Reconheça os prejuízos disso na sua vida hoje

Você já aprendeu como funciona a formação de suas crenças. Já entendeu que as suas experiências de dor plantaram raízes de rejeição na sua alma e que isso distorce a forma como você se vê e o que acredita que merece de bom desta vida. Você também já sabe tudo sobre o processo de autossabotagem de quem tem passado a vida como uma vítima sofredora, culpando os outros pelas suas dores, e também o que faz para ser infeliz aquele que se sente culpado. Chegou então a hora de você olhar para sua vida hoje. Sua vida hoje. A vida de adulto, de uma pessoa inteligente, madura e que sabe que pode fazer muitas coisas

> Chegou então a hora de você olhar para sua vida hoje. Sua vida hoje.

diferentes do que vinha fazendo até antes de começar a ler este livro.

Lembre-se de que toda pessoa machucada também machuca, todo ferido fere e todo rejeitado rejeita. Então, com coragem, verdade e humildade, quem você vinha ferindo por causa das suas feridas? Quem você tem machucado no seu processo constante de autossabotagem e de trazer dor e problema para sua vida?

Para se manter firme no processo de liberdade e de perdão, você precisa ter um nível muito profundo de consciência das consequências da mágoa e do rancor que ainda existem na sua alma. Por isso, reconhecer os prejuízos é fundamental para fazer você **abominar** isso na sua vida e se manter no processo de renovar a sua mente todos os dias, perdoando 70 × 7.

Vamos, então, para essa nova e superimportante etapa do processo. Quero só lembrar você de que continuo aqui, segurando na sua mão, e não vou soltar, tá?

Vamos dividir essa atividade em duas etapas. Na primeira, você vai reconhecer os prejuízos da autossabotagem em sua vida; na segunda, pedirá perdão por suas falhas com as pessoas que ama.

Nessa etapa, você vai olhar para todas as áreas da sua vida, reconhecer as escolhas e decisões erradas que tomou no passado ou que está tomando ainda e citar os prejuízos que essas escolhas têm lhe causado hoje.

SAÚDE

Escolhas erradas

_____

_____

_____

Prejuízos e consequências

_____

_____

_____

RELACIONAMENTO CONJUGAL

Escolhas erradas

_____

_____

_____

Prejuízos e consequências

_____

_____

_____

FILHOS

Escolhas erradas

_____

_____

_____

Prejuízos e consequências

_____

_____

_____

VIDA PROFISSIONAL

Escolhas erradas

_____

_____

_____

Prejuízos e consequências

_____

_____

_____

FINANÇAS

Escolhas erradas

_____

_____

_____

Prejuízos e consequências

_____

_____

_____

RELACIONAMENTO COM DEUS

Escolhas erradas

_____

_____

_____

Prejuízos e consequências

_____

_____

_____

PAIS E IRMÃOS

Escolhas erradas

_____

_____

_____

Prejuízos e consequências

_____

_____

_____

EMOCIONAL

Escolhas erradas

_____

_____

_____

Prejuízos e consequências

_____

_____

_____

VIDA SOCIAL

Escolhas erradas

_____

_____

_____

Prejuízos e consequências

_____

_____

_____

SERVIR AO PRÓXIMO

Escolhas erradas

_____

_____

_____

Prejuízos e consequências

_____

_____

_____

Agora que você reconhece os prejuízos das suas escolhas, qual é o seu sentimento ao ler tudo que escreveu anteriormente? É muito importante perceber esse sentimento, e fico aqui na torcida para que ele seja forte o suficiente a fim de fazê-lo abominar esses resultados ruins e decidir, com toda força que existe em você, viver o perdão 70 × 7, auxiliando-o a romper com esses comportamentos. Abomine!

A segunda etapa acontecerá para que você olhe como tem se relacionado com as pessoas que fazem parte da sua vida e se pergunte: "Como eu as estou machucando?". Quem você tem ferido e como você fere? A que pessoa você não tem dado amor como ela merece, fazendo-a sofrer a rejeição que você sofreu na sua infância? Rejeitado rejeita... ferido fere.

Registre a seguir o nome dessas pessoas e a maneira como você está errando com elas. Na sequência, escreva um pedido de perdão para cada uma, explicando o porquê desse pedido. Seja específico, relatando quais foram as suas falhas e dizendo o quanto você se arrepende e o quanto está decido a mudar.

Pessoa 1: _____

Falhas cometidas

_____

_____

_____

_____

_____

_____

_____

Pedido de perdão específico

_____

_____

_____

_____

_____

_____

_____

_____

Pessoa 2: _____

Falhas cometidas

_____

_____

_____

_____

_____

_____

Pedido de perdão específico

_____

_____

_____

_____

_____

_____

_____

Pessoa 3: _____

Falhas cometidas

_____

_____

_____

_____

_____

_____

_____

Pedido de perdão específico

_____

_____

_____

_____

_____

_____

_____

Pessoa 4: _____

Falhas cometidas

_____

_____

_____

_____

_____

_____

Pedido de perdão específico

_____

_____

_____

_____

_____

_____

_____

Pessoa 5: _____

Falhas cometidas

_____

_____

_____

_____

_____

_____

Pedido de perdão específico

_____

_____

_____

_____

_____

_____

_____

_____

Tenho certeza de que agora o seu coração está mais leve, talvez doendo um pouco, porém mais livre. A palavra de Deus nos diz que, se confessarmos nossos pecados, nos arrependermos e mudarmos, o Senhor é fiel para nos perdoar. Esse movimento de reconhecer, de confessar e se arrepender é libertador. Ele lança fora o engano, a mentira e o jugo. Ele nos ensina a moer o orgulho e promove uma mentalidade de humildade que nos conecta com nosso Pai que está no céu.

Se sentir no coração que deve fazer os pedidos de perdão específicos escritos anteriormente direto para as pessoas que você feriu, faça. Mas seja sábio, encontre a forma certa e o momento apropriado e esteja pronto em humildade para ouvir a mágoa dela sem se justificar e sem tentar minimizar seus erros. Deus o capacitará. Será poderoso.

3. Comunique amor

"Sobretudo, amem-se sinceramente uns aos outros, porque o amor perdoa muitíssimos pecados." (1Pedro 4:8)

Quando Pedro nos exorta sobre a importância de suportarmos em amor, ele está dizendo que o perdão é o caminho para a cura das nossas feridas, mas o amor é o bálsamo que faz cicatrizar as dores. É com uma comunicação de amor que produzimos novas memórias em nós e nas pessoas que machucamos, para que essas novas memórias de amor se sobreponham às de dor e para que, com o tempo, as ruins fiquem tão escondidas que não provoquem mais sofrimento a ninguém.

Quando comunico amor com meus atos, quando beijo, abraço, elogio, cuido, faço carinho, surpreendo o

Tenho certeza de que agora o seu coração está mais leve, talvez doendo um pouco, porém mais livre.

outro com uma flor ou um bilhete carinhoso de maneira inesperada, a primeira pessoa curada sou eu. Um estilo de vida de comunicar amor com meus comportamentos e com as minhas palavras permite que o amor flua na minha alma, que o amor vença as barreiras físicas causadas pelas mágoas do passado e que eu possa ser transformada por esse fluir do amor. Não tem espaço para o rancor onde o amor é abundante. Um sentimento anula a ação do outro.

Perceba que não estou falando de um amor sentimento, mas de um amor verbo. De um amor que vem da ação de **amar**. Mesmo que você não esteja sentindo vontade, seja inteligente, sábio e aja, comunique amor, cure suas feridas, elimine a mágoa, o rancor e o ressentimento para, assim, deixar de sabotar sua vida. Não está com vontade de comunicar amor? Então faça por você, e vai se surpreender com o que acontecerá nas suas emoções e com os seus sentimentos quando isso virar um estilo de vida.

O segundo grande beneficiário desse amor comunicado é quem vai receber seus carinhos. Já ensinei que todo ser humano, para viver uma vida feliz e com saúde física e emocional, precisa se sentir amado, importante e pertencente. Imagine o que você vai promover de transformação e cura emocional na vida do seu cônjuge, dos seus filhos, dos seus pais e dos seus amigos quando essa comunicação de amor fluir de você para a vida deles.

Tenho dentro da minha casa muitos exemplos de transformação do comportamento dos nossos filhos quando eu e o Paulo intensificamos a nossa comunicação de amor com eles. É algo impressionante. Notamos obediência, foco nos estudos, desaceleração, tolerância um com o outro e, principalmente, amorosidade comigo, com o pai e entre eles. Trata-se do fluir do amor alinhando às emoções.

Quantos casamentos estão morrendo pela falta de uma comunicação de amor verdadeira? Quantos filhos estão isolados nos seus quartos e nos seus *games* pela ausência de um olho no olho e de palavras de amor, perdão e tolerância? Quantos jovens têm tirado a vida por não se sentirem amados, importantes e pertencentes à sua casa, aos seus pais e às suas famílias? Um estilo de vida de demonstração de amor mudaria todas essas histórias saindo do final infeliz.

Se comunicar amor com gestos e palavras não for algo confortável para você, talvez por não ter recebido isso na sua infância ou talvez pelas mágoas que carrega no seu coração, sugiro que você monte uma agenda diária. Podemos chamar essa agenda de plano de ação do amor, no qual todos os dias você vai escrever para quem quer comunicar amor e de qual maneira. No fim do dia, você vai conferir o que conseguiu cumprir e acompanhar também o que não pôde fazer. O amor que você não comunicou naquele dia tem que ficar como tarefa pendente para o dia seguinte. Faça isso até que seja natural comunicar amor para você, até que vire um estilo de vida. Eu prometo que você vai se surpreender com o mover e o agir de Deus na sua vida e, por meio dele, vai sentir esse fluir do amor.

Se não está sentindo amor, então ame!

Simples assim.

9

AINDA NÃO ACABOU! O MELHOR COMEÇA AGORA

E se eu disser a você que o melhor começa agora? Agora que você já sabe que a sua vida vai muito além das coisas que viveu até aqui, que tudo o que aconteceu é apenas 10% da história, que todos os dias acorda para a vida e que pode e merece dar um novo significado ao que ocorreu em sua história, conseguimos chamá-lo de autorresponsável. Isso, sim, é o que importa. Essa atitude faz você ser uma pessoa que não se senta mais na cadeira de vítima, esperando dos outros uma solução para suas dificuldades, nem na cadeira do orgulhoso, que acha que já sabe muito, que faz tudo certo e, por isso, não precisa mudar. A autorresponsabilidade o torna alguém que se pergunta o que pode fazer de diferente para ter novos resultados, alguém que olha para sua vida e se pergunta: "O que eu preciso aprender?".

Para provocar em você essa atitude, vou contar só mais uma história. E ela vai se conectar fortemente com o seu coração.

Conheci uma mulher muito especial chamada Maria. Quando criança, era cheia de energia, alegre, divertida e muito travessa. Adorava aprontar. Era a filha mais velha da família e tinha um irmão caçula. Seu pai, que era apaixonado por ela, se divertia com as peripécias da garotinha e sempre dava um jeito de esconder da mãe dela suas travessuras. Queria protegê-la do rigor da mãe e era um homem próspero, comerciante importante da cidade onde viviam, muito generoso e amigo de todos. Tinha sempre um sorriso no rosto e um bom papo.

Maria me contou que o pai não sabia dizer "não" para ela, para o seu irmão nem para as pessoas que precisavam de ajuda. Maria foi extremamente mimada por ele e se lembra de ter ganhado uma bicicleta nova para aceitar tomar uma injeção. Ele, algumas vezes, mandava o motorista que trabalhava para a família ir à cidade grande, capital, buscar a comida preferida da filha só para vê-la feliz. Amava muito seu pai e conseguia sentir o amor dele por ela. Maria se sentia muito protegida e cuidada por ele. Esse mesmo homem, porém, supergeneroso e amoroso, era alcoólatra. Ele bebia quase todos os dias. Sempre voltava para casa bêbado, algumas vezes sem a roupa do corpo, pois a havia entregado para mendigos que encontrara pelo caminho. Quando o pai de Maria chegava em casa, costumava discutir com sua mãe, que não aguentava ver o marido naquele estado. As brigas eram comuns, na frente dos filhos. Maria cresceu nesse ambiente em que, de um lado, recebia o amor e se sentia importante para o pai, mas, do outro lado, o via trocar a família pelos amigos e pelo álcool.

Ela podia perceber que sua mãe estava sofrendo, virando uma mulher dura, amarga e triste. A mãe de Maria era muito bonita, elegante, talentosa e excelente dona de casa. Ela se via na obrigação de colocar limites nas crianças sozinha, já que seu marido era permissivo e ausente. Era também bastante crítica, sempre pronta para reclamar, acusar e brigar, e à medida que o vício do marido evoluiu, endureceu seu coração com a amargura e o rancor.

Quando Maria tinha 12 anos e seu irmão apenas 8, seu pai faleceu. Ele morreu de uma cirrose hepática. Seu corpo não aguentou tanta bebida. Com apenas 46 anos, aquele homem generoso partiu deixando uma jovem senhora sozinha com a missão de sustentar e educar duas crianças.

Você se lembra de que falei anteriormente que o pai de Maria era um homem próspero, um comerciante de sucesso? Pois bem, quando ele faleceu, seu sócio roubou toda a empresa, deixando Maria e a família passando por dificuldades financeiras. Aquela menina que, aos 12 anos, vivia como rica, aos 16 precisava trabalhar para se sustentar. A mãe da Maria conseguiu um emprego em uma repartição pública e, nas horas vagas, costurava vestidos para vender. Maria cresceu e virou uma linda mulher. Muito inteligente, dinâmica, divertida e trabalhadora. Costumava dizer para sua mãe e amigas que jamais se casaria com um homem que bebesse.

Ela foi trabalhar como secretária executiva de um banco e lá conheceu João. João era inteligente, culto, tinha um ótimo papo, todos gostavam dele. Aconteceu que Maria e João se apaixonaram, se casaram e tiveram três filhos. E adivinhe o que aconteceu? João tinha muitas características iguais às do pai de Maria. Ele era um pai extremamente amoroso, carinhoso e fazia todas as vontades de seus três filhos. João não era alcoólatra como o pai de Maria, mas amava um *happy hour* com os amigos após o expediente e, com certa frequência, chegava em casa alcoolizado. Ela estava vivendo tudo o que dizia que jamais viveria, repetindo o padrão de casamento da sua mãe e alimentando seus vícios emocionais da infância.

O casamento deles passou por muitas situações de desgastes e desafios. Maria se sentia frustrada, sempre reclamando, criticando e murmurando com o João por causa da bebida. A casa deles sempre se encontrava cheia de amigos, com festas em que a bebida estava presente. João não reconhecia isso, ignorando os sentimentos de

Maria, e costumava ser grosseiro e impaciente quando era criticado. Dizia para ela que não tinha nada a ver com os traumas dela e que não era o pai dela.

No meio dessa história viviam três crianças, os filhos da Maria e do João. Essas três crianças viram, ouviram e sentiram tudo que acontecia. Viam o pai em uma postura egoísta fazendo o que lhe dava prazer, não ajudando a Maria no papel de educá-los, pois não se posicionou com firmeza com as crianças e cobrava da esposa que fizesse isso sozinha. Porém, para confundir as emoções das crianças, esse pai era sempre paciente, amoroso e tolerante. O melhor pai do mundo, no entendimento dos três filhos. Até porque as crianças usavam o pai como referência para a sua mãe, Maria. Imagine que ela havia aprendido com sua mãe a ser impaciente, grosseira e crítica e, como ela se via frustrada com sua vida e ainda sob a pressão de educar sozinha, algumas vezes passava dos limites na educação das crianças, exagerando nas punições, acusações e invalidações.

Passaram-se alguns anos e João, que nessa época era sócio de uma empresa do mercado financeiro, viu seu negócio falir e faliu junto. Tudo o que construiu financeiramente ao longo da vida teve que ser vendido para honrar dívidas, e ainda assim não foi suficiente. A casa dessa família passou a ser um canteiro de sofrimento e angústia. Literalmente, faltavam recursos para as contas básicas, como comida, energia e estudo dos filhos. Cobradores ligando e ameaçando, e João desesperado sem conseguir sustentar a família. Seus filhos tiveram que sair da melhor escola da cidade para estudar em escolas de segunda linha, onde João havia conseguido uma bolsa de estudos.

Quando tudo isso aconteceu, Maria adoeceu emocionalmente. Ela entrou em um estado de depressão profunda e síndrome do pânico. Da sua boca, só saíam palavras de desesperança e murmuração. Ela culpava João por estarem vivendo aquela situação. Dizia que não merecia e, algumas vezes, blasfemou, perguntando a Deus o que lhe faltava acontecer. Qual outro castigo Ele mandaria para ela? Parecia que tinham chegado ao fundo do poço. Porém, como diz o Paulo, poço não tem fundo. Enquanto continuarmos cavando, continuaremos caindo.

Então, em maio de 1999, João e Maria foram convidados para um churrasco na casa de familiares e João, mais uma vez, foi vencido pela bebida. Bebeu muito além do que deveria. Sua família, Maria e os filhos, o chamaram para ir embora da festa e ele disse que ia ficar mais e que depois pegaria uma carona com algum familiar. Maria e seus filhos voltaram para casa sozinhos. Depois de algum tempo, pouco mais de uma hora, tocou o telefone. Era uma prima da família contando que havia acontecido um acidente. João caíra de uma varanda da casa onde estavam, de uma altura de aproximadamente 5 metros, e estava dentro de uma ambulância a caminho de um hospital de emergência. João havia fraturado o quadril em vários pedaços, tinha perfurado a bexiga e estava com hemorragia interna, em situação de risco de vida.

Foi um tempo de muita dor na casa de Maria e João. Não bastasse a extrema dificuldade financeira, eles tinham agora que enfrentar as consequências do acidente. Foram 22 dias internado, duas cirurgias, alguns meses de cama e muitos outros precisando de bengala para andar, mas João venceu. E ele, sabiamente, usou essa dor para

E todo viciado vai sempre encontrar uma maneira de alimentar seu vício. Vai atrair pessoas, lugares e situações para viver seu vício.

transformar sua vida por completo. Abandonou o vício em álcool, mudou como marido, continuou a ser um pai amoroso, tornando-se o mais presente e dedicado que um filho por ter.

Essa história ainda tem muitos e muitos capítulos, mas vou parar por aqui.

Você já sabe que as nossas experiências de vida, tudo o que vivemos, produziram memórias em nós. O significado que damos a essas memórias e a forma como nos sentimos formaram nossas crenças – e são estas que guiam nossa vida. Já sabe também que somos viciados emocionalmente nos sentimentos que mais vivemos na infância ou nos sentimentos que vivemos poucas vezes, mas que foram criados sob forte impacto emocional. E todo viciado vai sempre encontrar uma maneira de alimentar seu vício. Vai atrair pessoas, lugares e situações para viver seu vício.

Voltando à história de Maria, veja que a experiência que ela viveu com o pai na infância produziu nela crenças de que homens que bebem abandonam (seu pai morreu, abandonando-a quando ela tinha 12 anos), que homens que bebem não são confiáveis (seu pai a enganou, fazendo-a achar que ele a protegeria, porém deixando-a em dificuldades) e de que a bebida leva à pobreza (pela bebida o pai dela perdeu tudo que tinham para o sócio desonesto, deixando Maria e sua família passando necessidades). Maria entendeu que homens que bebem são grosseiros, impacientes com suas esposas e que estão sempre com a razão (assim como ela viu tantas vezes seus pais discutindo e seu pai sendo grosseiro com sua mãe). Maria aprendeu a crer que homens que bebem deixam suas esposas sozinhas no desafio de educar os filhos. Por isso, Maria decidiu racionalmente nunca se casar com um homem que bebesse, sempre afirmava isso, porém emocionalmente era viciada nos sentimentos de abandono, dor e engano.

Para alimentar seus vícios, ela se conectou exatamente com João. Ela se apaixonou por um homem de coração bom, querido por todos, generoso e muito inteligente, com uma carreira profissional promissora, educado, entre outras virtudes, assim como era seu pai. Mas João, da mesma forma que o pai da Maria, além de todas as virtudes já mencionadas, era um *bon vivant*, amava uma roda de amigos, jogos de futebol no estádio, *happy hour* e festas animadas. E todos esses momentos de lazer vinham acompanhados de uma bebida só para relaxar, só para alegrar e descontrair (ou de qualquer outra desculpa que ele pudesse usar). Ou seja, Maria escolheu casar-se com alguém muito parecido com seu pai, para fortalecer as suas crenças sobre homens e alimentar seus vícios. Maria viveu no seu casamento tudo que ela mais temia sobre homens e passou a se comportar igual à sua mãe, sendo lamurienta, crítica e cheia de amargura no coração.

E o ponto-chave dessa história é o aprendizado que eu e você precisamos trazer para nossa vida: **como a Maria poderia ter evitado essa repetição de padrão de vida**? Como ela poderia ter rompido com a história da sua mãe, sem repetir o casamento conturbado, as dificuldades financeiras e o comportamento duro com os filhos? A resposta é **perdoando**.

Se Maria tivesse tomado a decisão de perdoar seu pai e sua mãe pelas dores por que passou, ela não teria vivido tão forte essa repetição de padrão na sua vida. A questão é que, para perdoar, primeiro ela precisava ter consciência do que aconteceu e identificar os prejuízos em sua vida. Para decidir perdoar, Maria precisava de coragem para reconhecer que seu pai, o amor da sua vida, seu herói, a traiu. A trocou pelo vício, por isso a abandonou com apenas 12 anos.

Isso não aconteceu apenas com a vida da Maria. Nós temos uma tendência natural de negar as falhas das pessoas que mais amamos. A questão é que não existe outro caminho. Só reconhecendo os prejuízos das escolhas do seu pai na sua vida de criança, de jovem, de adulta e decidindo perdoá-lo, Maria poderia interromper o fluxo dos seus vícios emocionais e da repetição de comportamentos. Só exercendo empatia, se colocando no lugar da sua mãe e entendendo o cenário em que ela estava inserida e a perdoando pela dureza de coração, pela crítica e cobrança exagerada, Maria seria livre para não repetir esses mesmos comportamentos com seus filhos. Maria não teria sido tão crítica, acusadora, impaciente e intolerante com seus três filhos se antes tivesse perdoado sua mãe. Ela não teria ensinado a suas filhas que homens não são confiáveis e não podem mandar nas mulheres, que mulheres têm que ser independentes e devem abandonar um homem que queira controlar a vida dela. Se Maria tivesse curado suas feridas emocionais antes de ser mãe, teria ensinado a importância de a esposa honrar e respeitar o marido; assim, ela teria feito suas filhas sofrerem menos em seus relacionamentos.

A história de Maria está aqui com um único propósito: fazê-lo refletir sobre a sua vida. Lendo a história dela, quais reflexões você consegue fazer sobre a sua? Quais padrões de comportamentos foram aprendidos ao longo da sua história e você vem repetindo hoje e, pior, ensinando para seus filhos? Quais vícios emocionais você vive hoje dentro da sua casa e que o fazem sofrer? Descreva nas linhas estes padrões e vícios para que tenha plena consciência deles. Este é o primeiro passo: a consciência.

Agora vou lhe contar um segredo, mas você precisa prometer que não vai dizer a ninguém, principalmente àqueles que quer presentear com este livro. Posso confiar em você?

Então... eu sou Camila, a filha mais velha de Maria e João.

Eu vi, ouvi e senti, sob forte impacto emocional e repetidas vezes, todos os capítulos dessa história. Essas foram as experiências que vivi na minha infância e adolescência que adulteraram a minha identidade. Que invalidaram a minha capacidade de ver valor em mim por quem eu era. Que me transformaram em uma máquina de fazer, pois assim eu achava que atrairia elogios e me sentiria amada e importante. Quantas vezes me vi repetindo com o Paulo os comportamentos da minha mãe com meu pai – e pior, eram os comportamentos que eu mais abominava nela, e lá estava eu fazendo igual, trazendo problemas para meu casamento e minha família.

As minhas memórias, minha história, me transformaram também em uma mulher virtuosa em

> **Eu sou Camila, a filha mais velha de Maria e João.**

muitas áreas da vida, assim como minha mãe também é essa mulher virtuosa. Não repetimos apenas as disfunções, nós trazemos para nossa vida muitas bênçãos e virtudes e temos que reconhecê-las e ser gratos por elas. O que precisamos, porém, é dar foco no momento agora e identificar os prejuízos, pois só assim nos livraremos deles e levaremos conosco as bênçãos. Entendeu?

É assim com a sua vida também. Experiências vividas na sua infância estão gerando frutos bons e frutos ruins até hoje. Mas você já aprendeu que isso é apenas 10%. Podemos reter em nossa vida as crenças que nos fortalecem e nos fazem felizes, reprogramando nossas crenças ruins, aquelas que nos levam ao erro e à dor. O caminho que fiz para reprogramar minhas crenças, restaurar minha identidade perfeita e me livrar de todos os comportamentos que não combinavam com a mulher que eu nasci para ser você já leu neste livro. Então, lembre: não importam os erros, não importa o que você passou ou o que fez as pessoas que ama passarem. E sabe por que não importa? Porque estamos vivos, o jogo não acabou. Enquanto Jesus não nos levar para viver com Ele na eternidade, podemos escrever um fim diferente e feliz para a história da nossa vida. Glória a Deus que temos condições de reconhecer o que precisa de mudança em nós enquanto temos vida, nos arrependendo e decidindo por uma nova história. Quando isso acontece, a Palavra diz que Ele nos perdoa e nos manda seguir a nossa nova vida sem repetir os velhos comportamentos. E, para aliviar nosso coração, Ele ainda afirma que dos nossos pecados arrependidos e abandonados Ele não se lembra mais. Sobre essas reflexões, você pode ler João 1:9 e Hebreus 10:17-25.

Essa promessa foi o meu passaporte para entrar no processo de resgatar a minha identidade de filha amada do Pai, de verdadeiramente confessar meus erros, me arrepender profundamente, abominar os velhos comportamentos e vencer a culpa para construir uma vida nova. Se Ele diz que da velha Camila não se lembra mais, preciso fazer o mesmo e seguir construindo dia após dia uma vida que agrada a Deus e perseguindo o plano original d'Ele para mim, meu propósito aqui na Terra. E você deve fazer o mesmo a partir de agora!

Para viver esse processo de escrever uma nova história, independentemente do que você viveu até hoje, existe uma sequência de passos fundamentais a serem seguidos.

TER CONSCIÊNCIA

Reconhecer em todas as áreas da sua vida o que não está como deveria ser. Analisar quais têm sido suas escolhas, seus comportamentos e suas palavras nessa área. Quais erros você cometeu que hoje o fazem ter problemas nessa área?

Quanto mais lucidez você trouxer sobre suas atitudes e as consequências delas, melhor será seu nível de consciência.

A consciência é o pressuposto para qualquer estado de plenitude e liberdade.

A DECISÃO

Nada tem mais poder na nossa vida do que uma decisão verdadeira. A decisão vence comportamentos disfuncionais, quebra o coração orgulhoso que tem dificuldade de admitir os erros e pedir perdão. A decisão faz perdoar quem o feriu e ser liberto da ofensa que adoece a sua alma e o seu corpo. A decisão gera a energia e a atitude de que você precisa para vencer a zona de conforto e fazer o que tem de ser feito, mesmo sendo desafiador. Faz abandonar velhos hábitos e implantar na sua rotina um estilo de vida que o leva, todos os dias, para uma vida abundante.

Quando você diz um "**chega**" verdadeiro e decide abominar seu velho eu, vence a dor de viver o processo. Sabe por quê? Porque você não aceita mais disfunções na sua vida. Não consegue mais ficar naquele lugar de dor, de problemas no casamento, de dificuldade financeira, de relacionamento frio e distante com os pais e irmãos. Não aceita mais viver um relacionamento distante e cheio de conflitos com os seus filhos. Não se acomoda mais com as limitações na sua saúde, nem com uma vida profissional medíocre, muito aquém daquela que você sabe que é capaz de ter. O seu "chega" o faz buscar, com todas as suas forças, viver uma relação que você não viveu ainda de amor e intimidade com seu Pai do céu, Deus. Então, se você chegou até aqui, até o último capítulo deste livro, e ainda não disse o seu "**chega**", esta é a sua hora.

ANDAR COM CORAGEM, VERDADE E HUMILDADE

Você vai precisar das três todos os dias da sua vida: coragem, verdade e humildade. Só com elas poderá olhar para você e para sua vida e ver as coisas como elas realmente são.

Sem a verdade, você vai permanecer no engano, na mentira, encontrando muitas explicações para seus erros, falhas e omissões. E, quando isso acontece, não existe nova história. Não há novo casamento, novo relacionamento com filhos, nova saúde, vida financeira abundante nem vida profissional plena.

Quando você estiver falhando no uso da verdade na sua vida, lembre-se de quem é o pai da mentira e de quais são os planos dele para sua vida (matar, roubar e destruir). A verdade liberta.

Você também vai precisar andar de braços dados todos os dias com a coragem e com a humildade. A coragem para enfrentar a dor de olhar para si mesmo e para os outros com verdade. E, sem a humildade, nem a verdade você conseguirá acessar. Só com humildade podemos ser os únicos responsáveis pela vida que estamos levando, sem mentirinhas de vitimização e discursos de arrogância e prepotência, colocando-nos como quem já sabe tudo e faz tudo muito bem-feito. Se fosse assim, sua vida seria perfeita, não é mesmo?

LIVRAR-SE DA MÁGOA, DO RANCOR E DO RESSENTIMENTO

Uma das missões mais desafiadoras para nós, seres humanos, sem dúvida é aprendermos a liberar o perdão de modo verdadeiro. Dediquei um capítulo inteiro a esse tema, pois ele é uma chave poderosa para sermos felizes. Não existe como se conectar com a sua perfeita identidade e propósito sem antes perdoar. Sei que não é fácil, mas falei também algumas vezes que não precisa ser fácil, basta ser possível. Então, decida perdoar!

Os estudiosos das emoções humanas (alma), os médicos (corpo) e os peritos na palavra de Deus (espírito) afirmam em perfeita concordância que a falta de perdão adoece. O rancor e a mágoa podem se manifestar no corpo

Uma das **missões** mais desafiadoras para nós, seres humanos, sem dúvida é aprendermos a **liberar o perdão** de modo verdadeiro.

com vários tipos de doença, como fibromialgia, hipertensão, gastrite, artrite, asma, taquicardia e enxaqueca. As principais manifestações da falta de perdão na alma humana são depressão, síndrome do pânico, transtorno de ansiedade e distúrbios alimentares. E, no reino espiritual, a falta de perdão nos impede de sermos perdoados por Deus (leia Mateus 6:15), além de sofrerem perturbações na mente aqueles que não perdoam.

Outra forte ameaça gerada pelo coração ofendido é a autossabotagem. O ofendido sempre encontra um jeito de errar e voltar à velha vida, aos velhos sentimentos e comportamentos. Só o perdão a quem o feriu e o perdão a si mesmo cessam a autossabotagem na sua vida.

SEJA GRATO

Um coração grato cura a alma e renova a esperança. Quando conseguimos comunicar gratidão, mesmo diante de uma situação de mágoa, mudamos a nossa maneira de pensar e de sentir, e, assim, interferimos nas nossas crenças.

A gratidão é o seu remédio mais eficaz na cura das feridas da alma. Experimente escrever quarenta motivos de gratidão todos os dias. Você vai ficar impressionado com a química do seu corpo sendo transformada à medida que você sente a gratidão no seu coração.

Ter consciência da história de vida dos seus pais vai ajudá-lo a olhar com misericórdia para o que eles erraram e acertaram com você. Proponho, então, um exercício. Tenha uma conversa com seus pais sobre como foi a infância deles, sobre o que viveram, o que enfrentaram para chegar até aqui. É muito importante essa consciência do que eles passaram, do que venceram e dos padrões de comportamentos que aprenderam com os pais deles e que repetiram com você – os quais, muito provavelmente, você está repetindo hoje com sua família e seus filhos. Depois de fazer isso, você escreverá uma carta de gratidão para seus pais, uma para cada um. Nessa carta, seja o mais específico possível, citando tudo pelo que você é grato. Deixe a emoção tomar conta do seu coração. Sinta essa gratidão e o amor circulando nas suas veias. Isso cura!

Se você puder entregar pessoalmente essas cartas para seus pais, será incrível. Leia em voz alta, para cada um, seus motivos de gratidão. O amor comunicado cura as feridas, lança fora todo o medo e encobre multidões de pecados. Esse momento deve ser apenas de gratidão. Só a mais pura e verdadeira gratidão. Não fale de mágoas, ressentimentos ou erros. Você já definiu o seu momento de "chega", já decidiu perdoar e ser feliz. Então agora só podem existir amor e gratidão. Se você não os tiver mais por perto, leia em voz alta ao Senhor que Ele encherá seu coração de amor e cura.

Uau! Glória a Deus por podermos viver tudo isso. Pela capacidade que Ele nos deu de fazer tudo novo a partir das nossas escolhas conscientes. Pelas promessas que Ele derrama sobre nós e que nos sustentam enquanto vivemos o processo.

Termino o nosso último capítulo dizendo que para mim foi uma honra segurar na sua mão até aqui e compartilhar com você um pouco das minhas experiências de vida, contando sobre como tenho vivido o meu processo, a minha busca diária por ser cada dia mais parecida com a mulher que Deus deseja que eu seja. Foi uma honra ensiná-lo sobre os fundamentos da estrutura emocional humana, que tenho o privilégio de aprender todos os dias com a maior autoridade no assunto neste país e, sem dúvida, uma das maiores do mundo, meu amor, Paulo Vieira. Fundamentos estes que tenho colocado em prática diariamente na minha vida, dos quais tenho colhido bons frutos. Quero dizer a você também que foi com muito amor e alegria que mostrei a minha fé nesse Deus tão amoroso, fiel, misericordioso, justo e também poderoso.

Parabéns por você ter chegado até aqui! Essa jornada mostra a sua decisão, o seu "**chega**" e a atitude que você tomou para viver uma vida plena.

Tenho certeza de que, se passou por todos os capítulos, se fez todos os exercícios propostos com coragem, verdade e humildade, você já tem hoje muito mais entendimento, mais consciência e mais lucidez sobre a sua vida, sobre quem vinha sendo, sobre onde nasceram as disfunções que existiam na sua vida. E, principalmente, já entendeu que nasceu com um lindo propósito e que só desenvolvendo uma nova mentalidade vai viver a identidade perfeita dada por Deus a você. O plano original do seu Criador para a sua vida e por meio dela. Lembre: existe algo nesta Terra que espera por você, só por você, para se realizar. Por isso, mova-se todos os dias em direção a essa promessa!

Beijos no seu coração. Amo sua vida.

Este livro foi impresso pela gráfica Bartira em papel pólen bold 70g/m² em novembro de 2024.